GLENDALE PUBLIC LIBRARY, CA
3 9010 05600 0577

D1109036

el gran libro de la *reflexología facial*

Tomo 1

Si este libro le ha interesado y desea que lo mantengamos informado de nuestras publicaciones, escríbanos indicándonos cuáles son los temas de su interés (Astrología, Autoayuda, Esoterismo, Qigong, Naturismo, Espiritualidad, Terapias Energéticas, Psicología práctica, Tradición...) y gustosamente lo complaceremos.

Puede contactar con nosotros en
comunicación@editorialsirio.com

Título original: LE GRAND LIVRE DE LA RÉFLEXOLOGIE FACIALE - TOME 1
D'ÉTONNANTES TECHNIQUES DE SANTÉ VENUES D'EXTRÊME-ORIENT
Traducido del francés por Antonio Rodríguez
Diseño de portada: Editorial Sirio, S.A.
Dibujos de: René Maurice Nault

Editions Jouvence S.A.
Chemin due Guillon, 20
Case 143
CH-1233 Bernex (Switzerland)
http://www.editions-jouvence.com
info@editions-jouvence.com

EDITORIAL SIRIO, S.A.
C/ Panaderos, 14
29005-Málaga
España

EDITORIAL SIRIO
Nirvana Libros S.A. de C.V.
Camino a Minas, 501
Bodega nº 8,
Col. Lomas de Becerra
Del.: Alvaro Obregón
México D.F., 01280

ED. SIRIO ARGENTINA
C/ Paracas 59
1275- Capital Federal
Buenos Aires
(Argentina)

www.editorialsirio.com
E-Mail: sirio@editorialsirio.com

I.S.B.N.: 978-84-7808-533-0

Impreso en India

Printed in India

Marie-France Muller

el gran libro de la *reflexología facial*

Tomo 1

editorial Sirio, s.a.

Dedicado a René Nault, mi marido, mi mejor amigo, mi colaborador e ilustrador preferido: este último libro que hemos realizado juntos y que señala el fin de un cuarto de siglo de una rica y apasionada vida en común, en la que hemos creado muchas cosas y lo hemos compartido todo. Gracias por tu amor, por tu apoyo incondicional que tanto echaré de menos, por tantas apasionadas discusiones que olvidábamos en apenas unas horas y por todo el trabajo realizado con tanto amor y cuidado para que nuestro libro llegase a buen puerto.

Con mi agradecimiento a Nhuan Le Quang, que me inició con gran entusiasmo en esa maravillosa técnica que es el Dien' Cham'.

Introducción

Esta obra en dos tomos, que pretende ser una verdadera enciclopedia de la reflexología facial, retoma y completa todos los datos sobre el Dien' Cham' incluidos en mi anterior libro, *Le Dien' Cham', une étonnante méthode de réflexologie faciale vietnamienne*, enriqueciéndolos con información adicional y nuevas técnicas, dando también respuesta a numerosos interrogantes planteados por los lectores y los asistentes a mis conferencias y cursos.

Siendo un verdadero curso a domicilio, hallarás también aquí la descripción de la más avanzada técnica de localización personalizada de los puntos y zonas reflejas, lo que te permitirá practicar en ti mismo o en otra persona. Propongo modelos de sesiones adaptadas a las patologías más usuales, aderezadas con consejos para mantener una óptima salud. Además de los puntos reflejos, señalo las zonas reflejas correspondientes, lo que te permitirá optimizar tus sesiones.

Junto al Dien' Cham' expongo otras técnicas de reflexología facial provenientes de Extremo Oriente, como el Ji-Jo, la acupresión y el Do-In. Respecto a estos últimos, me he limitado a los puntos y zonas reflejas situadas en el rostro. Se ofrecen como complemento al Dien' Cham', abriendo nuevas dimensiones a este extraordinario método de curación vietnamita.

Puedes abordar la presente obra de muchas maneras:

1) Leyéndola en toda su extensión para hacerte una idea del conjunto, si bien no es, desde luego, la manera más simple y eficaz de abordar la técnica.

2) Leyendo los capítulos de presentación del Dien' Cham', 1, 2 y 3 (tomo 1, tercera parte), para a continuación pasar directamente a la aplicación práctica de una de las sesiones tipo propuestas en el capítulo 6 (tomo 2), en función de las propias necesidades. Esto te permitirá experimentar de inmediato, y de un modo sencillo, los beneficios de esta técnica. En mi opinión, es la manera óptima de introducirse en el método.
3) Cuando hayas adquirido una cierta práctica y hayas comprobado los primeros resultados, puedes pasar a un estadio superior aprendiendo a diseñar tú mismo una sesión personalizada. En ese momento, pasa al capítulo 7 (tomo 2).
4) Aumentando tus conocimientos, enriqueciéndolos con otras técnicas como el Ji-Jo o el diagnóstico facial (tomo 1, primera parte).

Nota: va incluido un póster que refleja las principales proyecciones del cuerpo en el rostro. Es de tamaño medio y puedes colocarlo en el baño, en el espejo o al lado de éste. Ten presente que al principio será necesario que practiques ante un espejo, y resulta difícil sostener un instrumento en una mano y en la otra un libro abierto mientras te esfuerzas en estimular adecuadamente las zonas pertinentes. Este póster puede serte de gran utilidad.

Ocuparse de la propia salud: un reto de nuestro tiempo

Vivimos una época extraña. Si bien en nuestras sociedades modernas nos esforzamos por enseñar a nuestros hijos a ser responsables y conducir su vida de la mejor manera posible, y tratamos de controlar nuestra vida y nuestras elecciones, existe un ámbito en el que a menudo no ejercemos control alguno, cuando no nos es explícitamente escamoteado por las instancias oficiales: el ámbito de nuestra salud.

Desde siempre nos hemos acostumbrado a escuchar, hasta la saciedad, que es necesario acudir al médico en cuanto aparece el primer síntoma sospechoso, y el corolario obligado de este consejo se resuelve en la toma de medicamentos de todo tipo, cuyos efectos tóxicos son, no obstante, de sobra conocidos. Empezamos ya a comprobar los resultados nefastos a gran escala, tales como la ineficacia, cada vez más notoria, de los antibióticos, que han dejado de ejercer efecto alguno en buena parte de la población al cabo de años de tratamientos reiterados y debido a su habitual presencia en la cadena alimenticia. Ya nos lo advirtieron hace décadas; sin embargo, pocos hicieron caso y el reflejo "antibiótico" al primer indicio de fiebre u otro malestar sin importancia pasó a ser automático.

Un proceso semejante ha tenido lugar con otros medicamentos cuyo abuso es una de las causas de la decadencia actual de nuestro organismo, explicitada por la aparición de las nuevas patologías cuya proliferación no dejamos de comprobar. Nuestro sistema inmunitario a menudo se encuentra indefenso ante los nuevos virus y agentes patógenos que derivan de nuestros abusos. Excesivas vacunas y medicamentos, una alimentación incapaz de aportarnos los elementos que nuestros organismos necesitan desesperadamente a fin de funcionar de manera óptima

–debido tanto al empobrecimiento drástico de las superficies cultivables[1] como a nuestra desidia en la alimentación a lo largo de los años, una contaminación creciente ante la que nuestro cuerpo carece de defensa, un organismo debilitado por el estrés y la carrera contrarreloj que caracteriza nuestro tiempo... Son muchas las razones que explican este debilitamiento inequívoco que nos impide vivir a fondo nuestras elecciones vitales. Sin contar la espada de Damocles que representa el temor al cáncer, las enfermedades cardiovasculares y otras plagas ante las que sucumbe tanta gente a nuestro alrededor que nos resulta difícil ignorarlas.

Y, sin embargo, ese viejo sueño que todos anhelamos está a nuestro alcance, como siempre lo ha estado: escapar a la enfermedad, recuperar la salud, aprender a conservarla como un precioso regalo... Nuestros antepasados lo sabían y nos han legado su saber, que frecuentemente se ha extraviado en la encrucijada de las épocas en las que el ser humano pensaba conocerlo todo y juzgaba con desprecio este conocimiento tan valioso, procedente de la noche de los tiempos. No obstante, la naturaleza atesora grandes recursos que nos permiten recuperar y conservar la salud perdida. Ésta es la base de las medicinas alternativas.

Sin embargo, la búsqueda que realizamos en nuestro entorno nos lleva, la mayor parte del tiempo, a ignorar el hecho de que en nosotros mismos, en el seno de nuestra propia naturaleza, existen recursos curativos insospechados para afianzar la salud, el equilibrio y el bienestar. Del mismo modo que nuestro planeta todavía esconde muchas regiones inexploradas, con frecuencia olvidamos que igual ocurre con nuestros recursos naturales internos.

Entre los antiguos métodos cuya virtud está ampliamente reconocida se encuentran la respiración y todas sus variantes, los diversos métodos de alimentación, el uso terapéutico de plantas (fitoterapia) y de sus esencias (aromaterapia), el empleo de distintos tipos de arcilla, del sol, el mar, las aguas de los manantiales y tantos otros medios que la madre naturaleza pone gratuitamente a nuestra disposición.

Entre esas múltiples posibilidades se halla nuestro propio cuerpo y todas las riquezas terapéuticas que alberga. Como si la naturaleza hubiera actuado de modo que, independientemente de lo que nos ocurra, dispongamos de los medios para ponernos a salvo o ayudar a los demás.

Si hemos sido capaces de construir ordenadores y equiparlos con herramientas de autoprotección y autorreparación, sería muy extraño que nuestro organismo nos hubiera desprovisto de recursos semejantes. No obstante, requerimos información, porque da la impresión de que desde

1. Véase a este respecto *Minéraux et oligo-éléments colloïdaux*, de Marie-France Muller, Editions Jouvence.

hace tiempo hemos perdido el manual de instrucciones que nos permitirá hacer un uso adecuado. Esta carencia está a punto de subsanarse: ahora podemos recuperar las antiguas técnicas que probablemente permitieron sobrevivir a nuestros antepasados en condiciones más duras y adversas que las que nos ha tocado vivir en el presente.

Así pues, de nuevo podemos confiar en nuestro organismo, que abandona el estatuto de enemigo potencial siempre dispuesto a traicionarnos para pasar a ser un amigo presto a servirnos. Porque, de eso se trata: nuestro cuerpo hace cuanto puede para mantenernos con vida, con buena salud y llenos de energía. A cada instante lucha contra todo elemento patógeno susceptible de dañarlo, con una discreción que ha contribuido a que no percibamos el fenómeno. Cada día destruye virus y bacterias, reequilibra nuestras diversas funciones y actúa para facilitarnos las condiciones óptimas de un funcionamiento armonioso. Por lo tanto, ¿qué ha ocurrido para llegar a la situación en la que estamos, al punto en que la gran mayoría de las personas no puede prescindir de los medicamentos y sin embargo no se siente con buena salud?

Hemos aprendido a considerar nuestro cuerpo como un enemigo, siempre dispuesto a traicionarnos y abatirnos, y hemos declarado una guerra permanente contra él. No ha de sorprendernos entonces si nuestro organismo ha tirado la toalla y ha renunciado a esta lucha injusta y desigual.

Por mi parte, como terapeuta, siempre he considerado que en buena medida mi trabajo consiste en enseñar a mis pacientes ciertas ideas que, en mi opinión, resultan esenciales:

— que su cuerpo, tanto como su espíritu, es su amigo y su aliado fiel;
— que pueden y deben tener confianza en él;
— que la acción terapéutica básica consiste en apoyar el esfuerzo de su organismo, no en combatirlo.

Para ello existen diversos métodos, todos eficaces, que a menudo resulta útil emplear simultáneamente. Ninguno es prioritario, ya que todo depende de la situación concreta y de la persona afectada.

En este libro trataré de la reflexología facial, una valiosa ayuda a la que podrás recurrir en toda ocasión, desde el momento en que se insinúa un trastorno, sin esperar a que se traduzca en una enfermedad.

Pero la mejor técnica del mundo –pronto comprobarás que ésta es una de ellas, debido a su simplicidad, rapidez y eficacia– será de poca ayuda si no aplicas al mismo tiempo las reglas elementales de una vida sana y equilibrada. Desde luego, esta técnica te proporcionará un alivio rápido y notorio, pero, a menos que rectifiques tu modo de vida, te será imposible lograr una salud duradera. Asimismo, piensa siempre que los consejos que ofrece este libro, si bien en muchas ocasiones bastan para resolver el problema sin ningún esfuerzo suplementario, tendrán un alcance mayor si los asocias a una alimentación sana y a un modo de vida más equilibrado.

El Dien' Cham' nos abre nuevas perspectivas. Gracias a este fascinante método de curación procedente de Vietnam, es posible descubrir y conocer una parte aún ignota del enorme potencial de autocuración y autorregulación que ha estado siempre oculto en nuestro interior.

La reflexología es una técnica terapéutica que consiste en estimular, con la ayuda de un simple masaje, ciertas zonas de nuestro organismo conocidas como reflejas. Se conocen diversos tipos:

— la reflexología plantar, que se practica en las zonas reflejas de las plantas de los pies;
— la reflexología palmar, que utiliza las zonas reflejas de la palma de las manos;
— la iridología, método esencialmente diagnóstico basado en la interpretación de las zonas reflejas del iris en el ojo;
— la auriculoterapia, que se consagra a las zonas reflejas de la oreja;
— la reflexología torácico-abdominal;
— la reflexología endonasal;
— la reflexología facial,

y otras muchas, que serán objeto de estudio de un próximo libro.[2]

En realidad puedo afirmar que la naturaleza ha puesto a nuestra disposición una gran variedad de recursos que nos permitirán a un tiempo mantener una buena salud y restablecerla si es necesario, sin necesidad de recurrir a otros instrumentos que no sean nuestros dedos, manos o, eventualmente, objetos de uso común. Además, en la práctica totalidad de la superficie corporal encontramos, de hecho, zonas reflejas semejantes, lo que multiplica increíblemente nuestras posibilidades de autocuración, aun en el caso de lesiones en una o varias partes del cuerpo.

2. *Encyclopédie des réflexothérapies*, de Marie-France Muller, Editions Jouvence (de próxima aparición).

De ahí, pues, el inmenso interés que presenta el conocimiento de estas zonas y las posibilidades que nos ofrecen.

En este libro abordaré la reflexología facial, es decir, el empleo con fines terapéuticos, así como de reconocimiento, de las zonas reflejas situadas en el rostro. Para ello viajaremos a Japón y Vietnam pasando por China. Aunque el Dien' Cham' –el asombroso método vietnamita de reflexología facial que estudiaremos especialmente en virtud de su simplicidad y su eficacia– te permitirá aliviar la mayoría de tus males en una sesión de dos o tres minutos, no es adecuado al propósito de la diagnosis, sin embargo necesaria. El método japonés descrito por Michio Kushi, por su parte, se aplica exclusivamente al reconocimiento y diagnóstico. Ambas técnicas resultan, así, notablemente complementarias. China también nos ha legado un cierto número de técnicas muy útiles, cuyo conocimiento enriquecerá tu práctica: Ji-Jo, acupresión, Do-In... En el marco de este libro, nos limitaremos a los principales puntos situados en el rostro.

Como comprobarás enseguida, la reflexología facial presenta numerosas ventajas respecto a las otras; entre ellas, la eficacia, rapidez y simplicidad de su puesta en práctica: el rostro siempre está disponible y es de fácil acceso. Además, se trata de una técnica fácil de aprender y al alcance de todos: incluso los niños pueden aplicarla en sí mismos si es preciso. Aparte de esto, este libro te aportará indicaciones para fabricar tus propios instrumentos.

Los terapeutas hallarán muy interesante esta nueva técnica, que les permitirá aliviar a sus pacientes en un breve lapso de tiempo antes de pasar a otras terapias. Conozco a muchas enfermeras que no dudan en aplicar el método en sus pacientes y a mostrarles algunos puntos o zonas reflejas destinadas a aliviar los síntomas desagradables y las diversas molestias. Ten presente que, en la mayoría de las ocasiones, obtendrás este resultado con sólo dos o tres minutos de masaje.

Sumérgete en esta nueva aventura que te conducirá a una mayor autonomía en la gestión de tu propia salud y la de tus seres queridos.

PRIMERA PARTE

El arte japonés del diagnóstico facial

El principio de la filosofía y de la ciencia es idéntico en China, la India y Japón. Sunya, Taikyoku y Ku traducen aproximadamente el universo verdadero.

Georges Ohsawa

Esencialmente consagrada al diagnóstico –prefiero el término reconocimiento, pues el diagnóstico está reservado tan sólo a los médicos–, la reflexología facial japonesa permite hacerse rápidamente una idea del estado de salud y los puntos débiles de una persona, en un solo vistazo. En eso estriba su interés.

Esta técnica oriental de reconocimiento se halla al alcance de todos. Consiste en la observación atenta de las formas y volúmenes del rostro, así como de las arrugas, lesiones cutáneas, pigmentaciones u otras pequeñas anomalías, pasajeras o no.

Un arte plurimilenario

Las medicinas china, japonesa y de Extremo Oriente se encuentran entre las más antiguas del mundo. Al ser ante todo preventivas, se sitúan en el extremo opuesto de nuestra medicina moderna, completamente volcada en el tratamiento de los síntomas mediante los medicamentos y la cirugía, que no logran encauzar el flujo creciente de enfermedades degenerativas que amenaza con invadir el mundo industrializado. Estas medicinas, más orientadas hacia lo humano y, por añadidura, mucho más económicas, constituyen sin duda un complemento indispensable en nuestro tiempo.

Durante más de cinco mil años, los terapeutas de Extremo Oriente se han basado en su comprensión del ser humano y su relación con la naturaleza para elaborar métodos simples y prácticos de curación y mantenimiento de la salud. Al igual que la filosofía y la cultura orientales, esta medicina se encuentra enteramente fundada en la existencia de un principio unificado, el yin y el yang, según el cual todo se vincula a partir de la ley de los opuestos que se complementan.

En la medicina oriental, el arte del diagnóstico no se conforma con la simple clasificación de los diversos síntomas a partir de los que deduce una posible patología. Ese arte representa en realidad un modo holístico de considerar el pasado, el presente y aun el porvenir de la salud y de la propia vida de un individuo. Se considera que todo es susceptible de ejercer una influencia determinante en nuestra buena o mala salud e incluso en nuestro destino: nuestro régimen de alimentación y nuestras emociones, pensamientos, actividad, espiritualidad y el conjunto de nuestras condiciones vitales. Todo es importante, todo está relacionado. Asimismo, la recuperación de la salud a veces requiere trabajar cada uno de los aspectos que conforman la vida.

Según la diagnosis oriental, el modo de caminar y de permanecer en pie, los rasgos fisiognómicos, el tono de la voz y el conjunto de nuestros medios expresivos se encuentran inextricablemente vinculados a nuestro estado de salud. Cada individuo concentra en su ser la historia de sus padres, el ambiente en el que vivieron, su propio estado de salud y su régimen alimentario. Así, este arte de la diagnosis no se resume en una técnica destinada a los enfermos: nos permite un mejor conocimiento de nosotros mismos, de nuestra vida y nuestra relación con el universo. Alguien experimentado en este método de diagnóstico es capaz de prever (ver con antelación) la aparición de un problema de salud mucho antes de que la persona en cuestión advierta los primeros indicios. De ahí su gran interés en el ámbito de la prevención.

Este modo de reconocimiento se basa, ante todo, en el estudio del rostro. Todo cuanto puede leerse en él –en las facciones, formas y particularidades de cada rostro– representa, en realidad, la exteriorización del estado en el que se encuentra nuestra sangre, humores, órganos, sistema nervioso o esqueleto, y el conjunto es el resultado de nuestra herencia, alimentación, actividad y condiciones medioambientales. Este arte consiste en reconocer en el rostro las leves modificaciones que presagian problemas futuros antes de que éstos se manifiesten a plena luz, encarnándose en una enfermedad declarada.

Hace algunos siglos, este arte tradicional del diagnóstico fue honrado y desarrollado por Nanboku Mizuno. Más recientemente, George Ohsawa, fundador de la macrobiótica, decidió aplicarlo al mundo occidental.

Michio Kushi desarrolló la técnica a partir de sus propias observaciones. Es autor de numerosos libros sobre la salud y la macrobiótica: entre ellos escribió uno muy interesante sobre el diagnóstico oriental, del que me hago eco en este capítulo.[1]

Yin y yang

La filosofía del yin y el yang sostiene la práctica de este arte medicinal. Implica que todo en el universo se encuentra en un perpetuo estado de transformación. El universo es el dominio de la impermanencia, que se manifiesta en el yin al convertirse en yang, y a la inversa. Los dos son relativos, no absolutos: todo existe bajo la forma de opuestos complementarios. La sombra sólo existe en relación con la luz, y lo mismo ocurre para complementarios opuestos como el día y la noche, el frío y el calor, el movimiento y la inmovilidad, la acción y el reposo, la contracción y la relajación, lo alto y lo bajo, el hombre y la mujer, etc. Los dos aspectos únicamente tienen existencia en relación con el otro en nuestro mundo sometido a la dualidad, y sin esa constante oposición no habría movimiento ni transformación. Como se dice en el *Tao Te King*:

> *"Del Uno surgió el Dos, y del Dos nacieron todas las cosas".*

1. *Oriental diagnosis*, de Michio Kushi, Sunwheel, Publications, 1978.

Yang: es la fuerza centrípeta, fuerza de contracción, de constricción, de presión, de cohesión: engendra el calor, la luz, las radiaciones cálidas (rojas e infrarrojas), la densidad, la actividad, la gravedad, la velocidad, la sequedad, las formas condensadas, macizas, horizontales, así como todo lo que es duro y tiende a caer, etc.

Yin: es la fuerza centrífuga, fuerza de expansión, de dilatación, de disolución, de depresión: engendra el frío, la oscuridad, las radiaciones frías (violeta y ultravioleta), la pasividad, la humedad, la menor densidad, la ligereza, la lentitud, todo cuanto es flexible, diluido, lo que tiende a ascender, las formas elevadas, esbeltas, verticales, etc.

Como la respiración de Brahma, todo el universo se dilata y se contrae, sucesivamente, y lo mismo ocurre con nosotros y nuestros órganos internos. De este modo, el yin sucede periódicamente al yang, y a la inversa.

Los siete principios del orden del universo según George Ohsawa

— *Todas las cosas son la diferenciación del Uno.*
— *Todo muda.*
— *Todos los antagonismos son complementarios.*
— *Nada es idéntico.*
— *Lo que tiene un envés también tiene un revés.*
— *Cuanto mayor es el antes, mayor el después.*
— *Lo que principia concluye.*

La clasificación de los órganos según el yin y el yang

Esta clasificación no es la de la acupuntura (que más bien se basa en la cualidad del *chi* que circula entre los órganos), sino que se fundamenta en la propia estructura de éstos. Los sólidos y densos como el corazón, el hígado o el bazo se consideran *yang*. Los huecos como el estómago, la vejiga o los intestinos se estiman yin. En la medicina oriental, cada órgano tiene un complementario/antagonista que conviene conocer, porque si uno de los dos sufre algún trastorno, el otro también se verá afectado. Éstas son las principales correspondencias entre los órganos:

pulmones	↔	colon	bazo	↔	estómago
corazón	↔	intestino delgado	hígado	↔	vesícula biliar
riñones	↔	vejiga			

Práctica simplificada del reconocimiento facial

Es importante que tratemos de percibir a la persona que observamos en su conjunto: pasado, presente y futuro, sus condiciones de vida, su historia personal, su situación fisiológica y psicológica. Un acercamiento intuitivo a este conjunto debería preceder siempre al examen de cada caso en concreto. En cuanto a los síntomas e indicios diagnósticos, su estudio adviene en segundo lugar. Seguramente en alguna ocasión te has encontrado con un perfecto desconocido que te ha transmitido una impresión precisa –por ejemplo, en lo que concierne a su personalidad–, y más tarde has advertido lo afinado de esa percepción. El desarrollo de esa sensibilidad y de esa aptitud para percibir desempeña un gran papel en el diagnóstico oriental. Si no crees estar muy ducho en este campo, la práctica supondrá una mejora considerable, así como el estudio cuidadoso de los diversos elementos que configuran un rostro.

Es útil e interesante dedicarse a observar los rostros de este modo; evita, sin embargo, las preguntas demasiado indiscretas, sobre todo si no te han pedido nada: no le gustan a todo el mundo.

Aprende a leer el rostro

Nadie posee un rostro perfecto ni una cabeza completamente proporcionada. Todos somos diferentes, lo que se debe en gran medida a la alimentación que recibimos en el seno materno.

Sin entrar en los complejos detalles de esta visión particular de la embriología, señalé que la forma general del rostro, al igual que las características mentales, emocionales y psíquicas del futuro individuo, diferirán según la estación en la que tuvo lugar la concepción, en función de las variaciones del régimen alimenticio de la madre en los diversos estadios del embarazo. Esto puede verificarse si la madre se ha alimentado esencialmente de productos frescos de temporada, ¡lo que en la actualidad resulta más difícil habida cuenta de que podemos consumir fresas en invierno!

Así, según Michio Kushi, una persona nacida en verano será práctica y equilibrada; la que llega al mundo en primavera será romántica, emotiva, idealista y sentimental; el bebé nacido en invierno tendrá más oportunidades de desarrollarse como intelectual y pensador; en cuanto a la persona nacida en otoño, pertenecerá al tipo activo y creador.

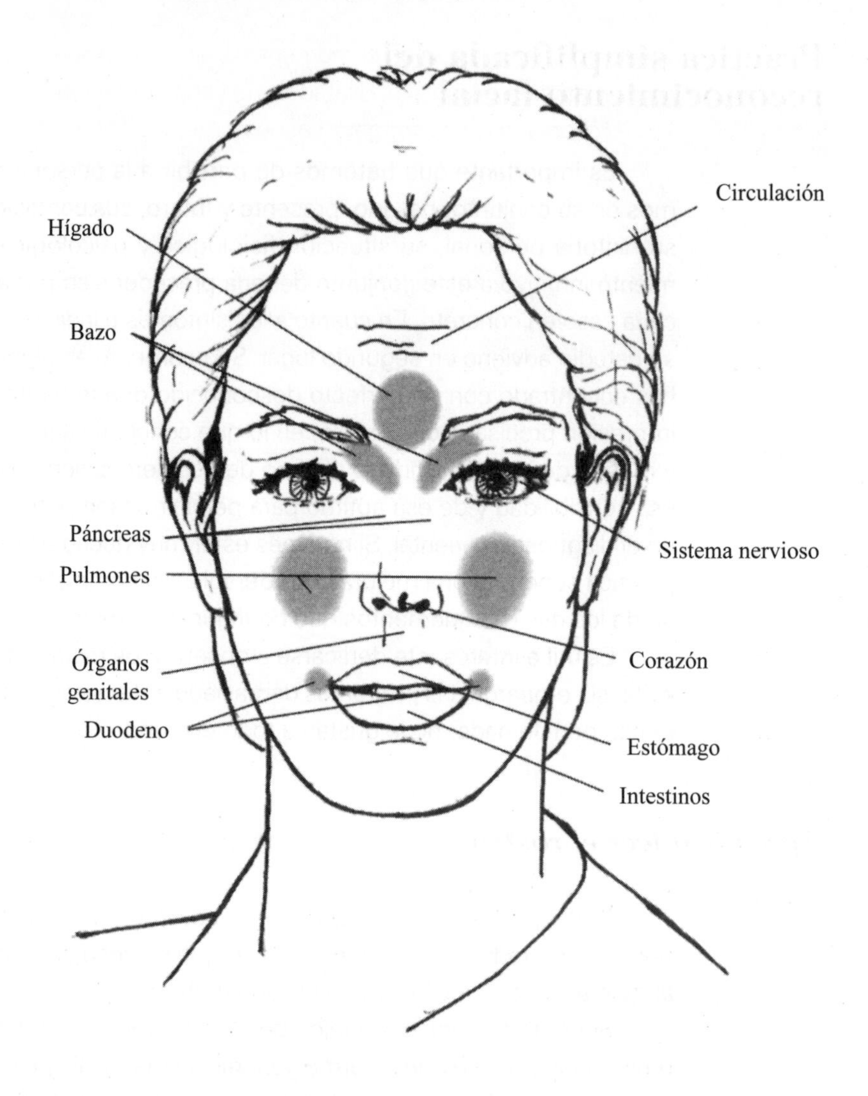

Figura 1
Las zonas reflejas del rostro (según Michio Kushi)

Los árboles y la vegetación están visiblemente afectados por el clima y la naturaleza del suelo del que extraen su alimento; su energía interna lucha por encontrar un equilibrio ponderado en función de las fuerzas externas que los influencian. Del mismo modo, los seres humanos se enfrentan a diversos factores externos que alteran su energía interna, su forma y sus características. Ahora bien, la alimentación –dependiendo de si es predominantemente yin o yang– modifica la energía interna responsable, entre otras cosas, de nuestra apariencia física. Por lo tanto, nuestros rasgos serán diferentes dependiendo de nuestra alimentación, un proceso que se pone en marcha en el momento de la concepción. Recuerda que el yin es más bien expansivo, dilatado, y el yang concentrado.

Observa en primer lugar el aspecto general del rostro. Una faz cuadrada con un predominio de líneas horizontales revela una constitución denominada "**yang**", es decir, generalmente enérgica y resistente. Una más bien alargada (movimiento vertical) es "**yin**", más lenta, soñadora, un poco indolente, de salud más débil. Recuerda que en nuestra época, y sobre todo en Occidente, la mayoría de nosotros presentamos una mezcla de estas características, con predominio del yin, y que son raras las personas absolutamente yang.

Yang: el conjunto del rostro denota consistencia: cara cuadrada, mandíbulas firmemente delineadas, predominio de líneas horizontales; nariz más bien chata sobre la que resbalan las gafas (aunque estas personas rara vez las necesitan); amplias aletas nasales; labios tirando a delgados que expresan un temperamento fuerte, pero a veces también inflexible y ojos hundidos en las órbitas, con una mirada que en ocasiones expresa dureza. Es el rostro de personas muy activas.

Yin: el conjunto del rostro es más bien alargado, con predominio de las líneas verticales; ojos grandes, poco hundidos; nariz larga, protuberante, con aletas nasales afiladas y boca grande con labios carnosos; mandíbula poco marcada.

Nota: *cuando estudiamos la estructura facial, nos referimos a las formas y rasgos heredados desde el nacimiento, y no a los adquiridos, como arrugas u otras deformaciones debidas a la edad o al cansancio.*

Distingue los volúmenes, las arrugas, la hinchazón de ciertas zonas: su acentuación aporta una indicación sobre la importancia del trastorno. A continuación, aprende a leer las señales de un rostro, de arriba abajo. Si algunas técnicas, como la iridología, son muy complejas y sólo pueden practicarlas profesionales muy cualificados, otras se hallan al alcance de todos.

La piel

La textura de la piel –tersa, sedosa, áspera, seca o con tendencia a acumular grasa, etc.– tiene un significado. Una piel tersa, atributo de la juventud, tiende a volverse áspera con la edad debido a un aporte alimentario rico en grasas saturadas. Una piel grasa a menudo indica una sobrealimentación y, una seca, una ingesta insuficiente de líquidos.

También hay que tener en cuenta el color de la piel (la pigmentación), así como las diferencias en la coloración que pueden observarse en diversas zonas, los granos, arrugas, imperfecciones y todo elemento susceptible de proporcionarnos información. Un grano o una mancha no aparecen al azar, sino siempre en la zona refleja afectada; de este modo, podrás deducir fácilmente el origen del problema.

Estas indicaciones son válidas al margen del color básico de la piel, que varía según los grupos raciales: negra, rojiza, blanca o amarilla, con todas sus variantes.

Pigmentaciones complementarias a las de la naturaleza

Todo el mundo sabe juzgar la buena o mala salud de alguien por el tono de su piel: fácilmente reconocemos un aspecto saludable, mientras que una pigmentación muy pálida, amarillenta o verdosa suscita una inquietud justificada.
Según Michio Kushi, hemos de exhibir colores complementarios a los de la naturaleza, nunca los del medioambiente natural como el azul (del cielo), el verde (de las plantas), el blanco (de las nubes), el marrón (de los árboles), etc.; la manifestación en nuestra piel de esos colores de la naturaleza revela que estamos a punto de volver a ella... y que nos dirigimos, a grandes pasos, hacia nuestra descomposición, y por tanto a nuestra muerte.

Pálida

Una tez pálida manifiesta una tendencia a la anemia y la carencia de hierro. En los niños frecuentemente señala la presencia de oxiuros (parásitos intestinales), que generan anemia. Esta pigmentación también es usual en asmáticos y en personas que padecen alergias y otras afecciones de las vías respiratorias.

Una piel muy blanca, de color lechoso, a menudo se debe al consumo excesivo de productos lácteos. Entre los occidentales, una pigmentación saludable es ligeramente blanquecina, pero la piel tersa y "rebosante de salud" no deja lugar a dudas respecto al excelente estado de salud de la persona.

Rojiza

Si bien es normal ruborizarse por efecto de una emoción o debido a un esfuerzo intenso (lo que indica una buena circulación sanguínea), por el contrario resulta anormal adquirir una tonalidad violácea al mínimo esfuerzo.

Una pigmentación rojiza implica un sobreesfuerzo del corazón debido a una expansión de los capilares sanguíneos hacia la superficie de la piel. Desde un simple enrojecimiento difuso, el agravamiento del problema –unido al endurecimiento de los vasos sanguíneos– deriva en la aparición en la superficie de las propias venas capilares, fundamentalmente en los lugares donde se establece la correspondencia orgánica. Una modalidad de este fenómeno consiste en el acné rosáceo de los pómulos, tan difícil de disimular en las mujeres, y también en las mejillas y la nariz de los grandes bebedores cuyo hígado se encuentra muy deteriorado. El origen estriba en un exceso de yang debido a abusos en la alimentación, entre los que destacan un consumo exagerado de carne roja, alcohol... y también sal.

Cuando el enrojecimiento presenta un tinte violáceo, es señal de un claro agravamiento de la situación, que puede volverse crítica en cualquier momento. Una nariz hinchada de color rojo violáceo en un hombre maduro es indicio de una peligrosa degeneración asociada a un estado hepático defectuoso, problemas circulatorios e hipertensión. En cuanto al corazón, también padece un agotamiento crítico.

Respecto al alcohol, si un pequeño combinado te ruboriza, es buena señal: demuestra tu buena constitución y la aptitud del hígado para eliminar el más mínimo rastro de veneno (incluso el pequeño porcentaje de alcohol de un combinado resulta tóxico para el hígado). Un bebedor cuya tez se vuelve gris tras un aperitivo va por mal camino.

Hay que señalar que esa hermosa tez rosada –tan a menudo envidiada en los holandeses– generalmente tiene su origen en un régimen de alimentación basado en la carne al que se une un gran consumo de productos lácteos; ambos provocan una tez pálida (rojo + blanco = rosa).

El embarazo

Durante el embarazo es frecuente descubrir la aparición de venas y capilares en la piel, o incluso un enrojecimiento difuso, debido al intenso trabajo que desarrolla el organismo. Es natural y desaparecerá tras el parto, sobre todo si la futura mamá recibe una alimentación suficientemente yang. Por el contrario, si prefiere los alimentos con un fuerte componente yin, es muy probable que esas manchas no desaparezcan nunca.

Morena

Tanto si se manifiesta de manera difusa en la tez o en forma de manchas oscuras, esta coloración denota generalmente problemas del hígado o de la vesícula biliar. Con frecuencia se debe al consumo de arroz blanco (refinado) o de glutamato (muy usado en la cocina china), así como al exceso de sal. Si tienes manchas oscuras o si tu bronceado es demasiado pronunciado, cuida tu alimentación.

Estas manchas a veces tienen su origen en los emuntorios o en la ingestión prolongada de medicamentos que han debilitado el hígado, sobre todo durante la infancia y si se asocia a una alimentación con predominio yin (por ejemplo, un consumo excesivo de lácteos en los niños).

Las conocidas marcas de nacimiento se derivan generalmente de una alimentación predominantemente yin absorbida por la madre en el transcurso del embarazo, pero también de los *shocks* psíquicos graves sufridos durante ese período. El lugar de la marca de nacimiento señala el órgano afectado y el momento de la gestación en el que tuvo lugar el acontecimiento; la administración de medicamentos durante el primer mes de embarazo es una causa frecuente de tales marcas.

Amarillenta

Una tez amarillenta es indicio de problemas pancreáticos, hepáticos o vesiculares. En una ictericia esta coloración puede observarse incluso en el blanco del ojo. La bilis no se evacua adecuadamente en el duodeno y pasa a la sangre, pigmentando así el cuerpo entero. En este caso es esencial eliminar del régimen de alimentación los nutrientes con predominio yang, como las carnes y la sal, y consumir más verduras. La tez amarillenta en el bebé generalmente se debe a un consumo excesivo de carnes y pescados por parte de la madre.

Verdosa

Esta coloración, que puede teñir las venas en los lugares en que se manifiesta, es poco frecuente, felizmente, porque se trata de un mal augurio. A menudo es un indicio de tejidos cancerosos. En el rostro, se manifiesta sobre todo en las sienes y las orejas en ciertos casos de cáncer de pulmón.

Michio Kushi observa, respecto a este color, que la expresión "ponerse verde de envidia" o de rabia expresa bien lo que quiere decir. Las personas irritables, pesimistas o envidiosas tienen más posibilidades de padecer un cáncer.

Azulada

Esta coloración de las venas indica un organismo con predominio *yin* debido al abuso de azúcar refinada, bebidas azucaradas, helados y otros productos lácteos.

Negra

Los lunares eran muy apreciados por las mujeres coquetas del siglo XVIII. Sin embargo, no eran muy buena señal y delataban la existencia de problemas renales. Las manchas negras –así como los lunares– se vinculan a la ingesta excesiva de medicamentos o de diversas drogas tras haber agotado los emuntorios. Además, a menudo aparecen en los meridianos de acupuntura. A veces también afloran como consecuencia de una fiebre elevada o de enfermedades graves. Una alimentación sana y equilibrada puede atenuarlos, aunque en raras ocasiones los hará desaparecer completamente.

Señalaré que una tez grisácea delata trastornos hepáticos y un hígado muy voluminoso. También es el hígado de las personas que oscilan entre la cólera y la depresión.

La frente

La aparición de arrugas horizontales –como las que atraviesan la frente– no representa un signo yang; al contrario, semejantes arrugas, a menudo originadas por un exceso de líquidos o por un consumo inmoderado de azúcares y materias grasas, se vinculan a una expansión vertical del rostro, y por lo tanto se consideran yin. Las arrugas horizontales en la frente se relacionan con trastornos en la circulación sanguínea.

El nacimiento de arrugas verticales entre las cejas es un indicador fiable de problemas hepáticos o hepático-biliares. Según este sistema de proyección, esa región se corresponde con el hígado y la vesícula biliar. Más abajo, a cada lado de la nariz, encontramos una zona correspondiente al bazo y al páncreas, pero también al estómago. Los trastornos que afectan al bazo y al estómago a menudo provocan una coloración verdosa en esta zona refleja.

Las cejas

Al observarlas, ten en cuenta que las mujeres se las depilan, a menudo desde hace muchos años: tenlo presente antes de lanzarte a perspicaces deducciones que corren el riesgo de desmoronarse en un santiamén.

- La forma de las cejas, determinada por la estructura de la órbita ocular, es un buen indicador de la constitución del individuo. Las cejas curvadas hacia el centro del rostro muestran que, durante el embarazo, la madre consumió muchos alimentos yang, sobre todo carne. Las de los hijos de padres vegetarianos (y, con el paso de los años, las de los propios vegetarianos) tienden a curvarse hacia las sienes.
- Las cejas largas son una señal de longevidad y buena salud. Para los orientales, son las cejas de la felicidad.
- Las gruesas y largas son prueba de vitalidad y de gran resistencia física, mientras que las poco pobladas y demasiado delgadas denotan debilidad. Cuando nos depilamos, disminuimos nuestra vitalidad. ¡Es cierto!

Los ojos

Reflejan el estado del sistema nervioso, y por lo tanto del organismo en su conjunto, puesto que cada órgano guarda relación con el ojo. Es preciso examinar su forma, pero también su tamaño, el globo ocular en su conjunto, y prestar especial atención al iris.

- Los ojos grandes son yin, mientras que los pequeños y hundidos son yang, con todos los matices intermedios.

- Según Michio Kushi, el estrabismo convergente estaría ligado a una alimentación predominantemente yang (fuerte contracción). En cuanto al estrabismo divergente, su origen residiría, por el contrario, es una alimentación sobre todo yin. La modificación del régimen de alimentación basta generalmente para corregir esta situación con gran rapidez, y los ojos recobran la orientación adecuada.

Las mujeres y el cuerpo: un exceso de yin

Una vez más comprobamos hasta qué punto la moda –directamente ligada a los gustos de los hombres, no lo olvidemos– incita a las mujeres a renunciar al yang en beneficio de un superávit de yin..., pero a expensas de su propia salud. Recordemos que la armonía y la propia salud dependen de un equilibrio mesurado entre estos elementos, que no habría que asimilar, de un modo superficial, a nociones tales como yang = hombre y yin = mujer. Tanto los hombres como las mujeres albergamos ambas polaridades.

- *Así, la depilación frecuente de las cejas implica, con el tiempo, una pérdida de vitalidad.*
- *La cada vez más frecuente inyección de colágeno en los labios que se consideran demasiado delgados amenaza con debilitar el organismo, no sólo debido a la importancia de esta zona en el nivel digestivo y hormonal, sino también al acentuar la naturaleza yin del organismo.*
- *No hablemos del bótox: ¿cómo esperar que la inyección de una toxina tan potente y devastadora como la botúlica en zonas tan sensibles y sembradas de puntos reflejos como la región situada entre las cejas, el rabillo del ojo y el perímetro de los labios pueda ser beneficiosa, o que al menos no ejerza un efecto nefasto en la salud?*
- *Por otra parte, acostumbrarse a un rostro yin, débil y de una vitalidad inferior, equivale a conceder valor a la falta de fuerza y energía tanto física como psíquica.*

Las mujeres deberían reflexionar antes de dejarse convencer por semejantes prácticas a lo largo de toda una vida. No siempre se puede asegurar su carácter inocuo.

El blanco del ojo

El globo ocular debería conservar una consistencia flexible. Su endurecimiento origina la aparición de trastornos en la visión, que pueden desembocar en la ceguera. En este caso podemos comprobar que el blanco del ojo ha adoptado una coloración gris o azulada.

Normalmente sólo debería verse el blanco del ojo a ambos lados del iris: a derecha e izquierda. Esto ocurre raramente. Nuestras múltiples deficiencias orgánicas han generado una condición especial común que los japoneses conocen como *sanpaku*, que literalmente significa "tres lados blancos". En este caso también apreciamos el blanco del ojo debajo y, en ciertos casos, encima del iris. Estas condiciones se deben a la falta de contracción (ausencia de yang) o a su exceso. Constituyen el origen de trastornos visuales debidos a la presión ejercida, en función de si la expansión se realiza en una u otra dirección.

- *Sanpaku* inferior: cuando el blanco del ojo aparece bajo el iris. En este caso, el organismo en su conjunto es preponderantemente yin y comienza a relajarse. En la mayoría de las ocasiones se trata de personas faltas de vitalidad y resistencia. Cuanto mayor sea la porción de blanco visible, más debilitada estará la salud. Según Michio Kushi, sólo una de entre varias decenas de miles de personas no padece de *sanpaku* en nuestros días. Este estado es, con frecuencia, el origen de la presbicia.
- *Sanpaku* superior: es la condición que deja entrever el blanco de los ojos por encima del iris y que presentan los bebés sanos con una predisposición yang. También ocurre en el caso de personas muy violentas, en las que el *sanpaku* está muy marcado. La energía es poderosa y la salud excelente.
- *Sanpaku* debido a ojos protuberantes: esta situación, yin, es también indicio de una debilidad orgánica. Con cierta frecuencia, este *sanpaku* provoca miopía.

Las zonas reflejas de la esclerótica

El blanco del ojo puede dividirse, alrededor del iris, en doce zonas con sus correspondencias.

Las zonas yang se sitúan junto a la nariz, rodeando el iris, e se corresponden con los órganos y partes *yang* del organismo.

Las zonas yin se encuentran sobre todo orientadas hacia las sienes y en la periferia del iris.

Un organismo sano exhibe un blanco perfecto, con una tonalidad ligeramente marfileña. El ojo no aparece inyectado en sangre ni recorrido por capilares sanguíneos. En los casos normales, se observan tres o cuatro

Figura 2
Zonas reflejas de la esclerótica (ojo derecho) según Michio Kushi

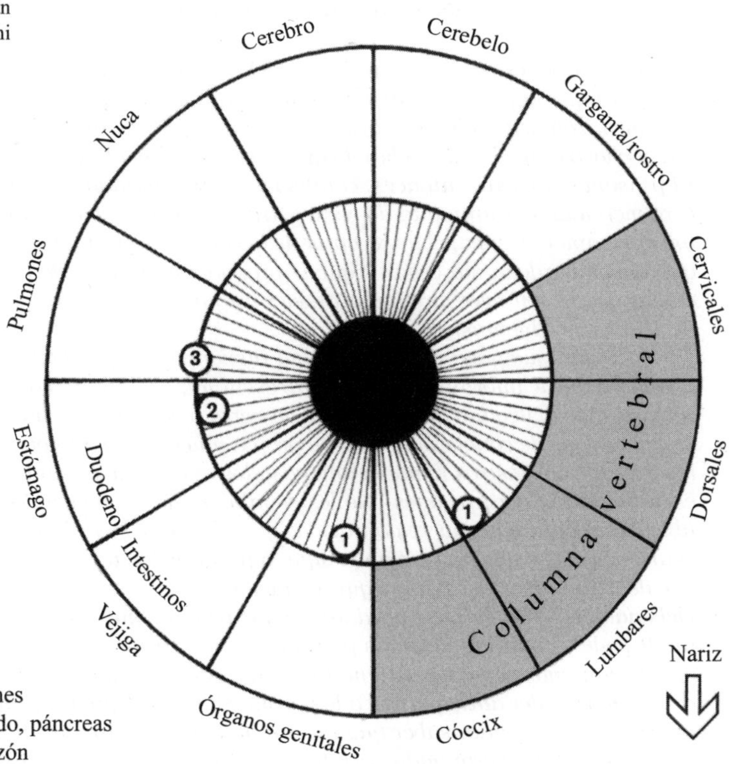

1) riñones
2) hígado, páncreas
3) corazón

capilares. Si contamos más de seis, es indicio de una mala salud. En los casos extremos, podremos contar hasta doce.

Se trata de una situación variable: basta una comida opípara o regada con licores para comprobar, al despertar a la mañana siguiente, la aparición de capilares justamente en las zonas digestivas (intestinos, estómago, hígado...).

Los capilares que concluyen formando una pequeña mancha indican una obstrucción en la circulación sanguínea o linfática. Estas manchas pueden adoptar una coloración negra u oscura: yin; sugieren la presencia de cálculos o quistes. En la zona sexual a menudo corresponden a la probabilidad de cálculos renales, problemas de próstata o quistes ováricos. Un color amarillento o rojizo delata una obstrucción sanguínea sin importancia.

***Sanpaku* y premoniciones**

Según los japoneses, presentar un sanpaku, *tanto inferior como superior, hará que la persona esté expuesta a grandes peligros en su vida. La hinchazón generada por el exceso de yin afectará también al sistema nervioso central y al cerebro, lo que alterará las facultades mentales. El pensamiento será, entonces, confuso y difícil, limitado, y el juicio se verá mermado por un punto de vista estrecho. El cerebro desempeñará imperfectamente su papel de receptor de las energías electromagnéticas que lo bombardean sin cesar y que le proporcionan miles de informaciones que le son necesarias para poder juzgar una situación y tomar decisiones pertinentes.*

Una persona que goza de buena salud dispone de un arsenal de percepciones que le informan de un peligro eventual, de los cambios meteorológicos, de la llegada de un temblor de tierra o de cualquier otro acontecimiento que le concierna, como su propia muerte: exactamente como los animales. Nuestros remotos antepasados estaban acostumbrados a escuchar estas percepciones que les señalaban qué comer y dónde se ubicaba el agua en una región árida, y es en gran medida gracias a estas facultades que hoy estamos aquí, a pesar de los terribles peligros que debieron arrostrar para seguir con vida.

Deberíamos poder percibir nítidamente los peligros que nos acechan a fin de poder tomar las medidas preventivas necesarias; nuestras vidas mejorarían enormemente. Al igual que las ratas abandonan el barco, deberíamos poder anticiparnos a los acontecimientos, predecir un rudo invierno o una sequía, saber que ese día no hemos de tomar un avión, un barco o una determinada carretera y escapar así a un peligro mortal.

Recuperar un buen equilibrio entre el yin y el yang, restablecer nuestra salud y aumentar nuestro nivel de energía nos concederá, por añadidura, mayor felicidad y suerte en la vida.

El iris y la iridología

El estudio de la parte pigmentada del ojo, el iris, es el objeto de la iridología, un método de reconocimiento por excelencia muy usado por los naturópatas, que permite "leer" el estado orgánico. No abordaré en profundidad una ciencia a la que se han consagrado numerosos libros.

Nadie sabe dónde nació la iridología, pero una cosa es cierta: es tan antigua como el mundo. Los egipcios, los caldeos y los chinos la empleaban hace milenios. Sólo los caldeos nos han dejado tablas lo suficientemente precisas. En 1881, gracias a la *Introducción al diagnóstico en los ojos*, del doctor Peczely, dio comienzo la verdadera aventura de la iridología moderna. El descubrimiento se expandió rápidamente y los tratados se multiplicaron.

La iridología consiste en determinar el estado orgánico (de un hombre o un animal) mediante la observación de las diversas señales que aparecen trazadas en su iris. El ojo no es sólo el espejo del alma, sino que también lo es del cuerpo. El iris ofrece información sobre los puntos vulnerables heredados o adquiridos, sobre el grado de gravedad de la lesión, pero también permite reconocer el mal funcionamiento de un órgano mucho antes de que se manifieste la enfermedad. Por ello el examen del iris reviste tanta importancia: permite acceder a las verdaderas raíces de los trastornos orgánicos y así orientar la terapia más eficazmente.

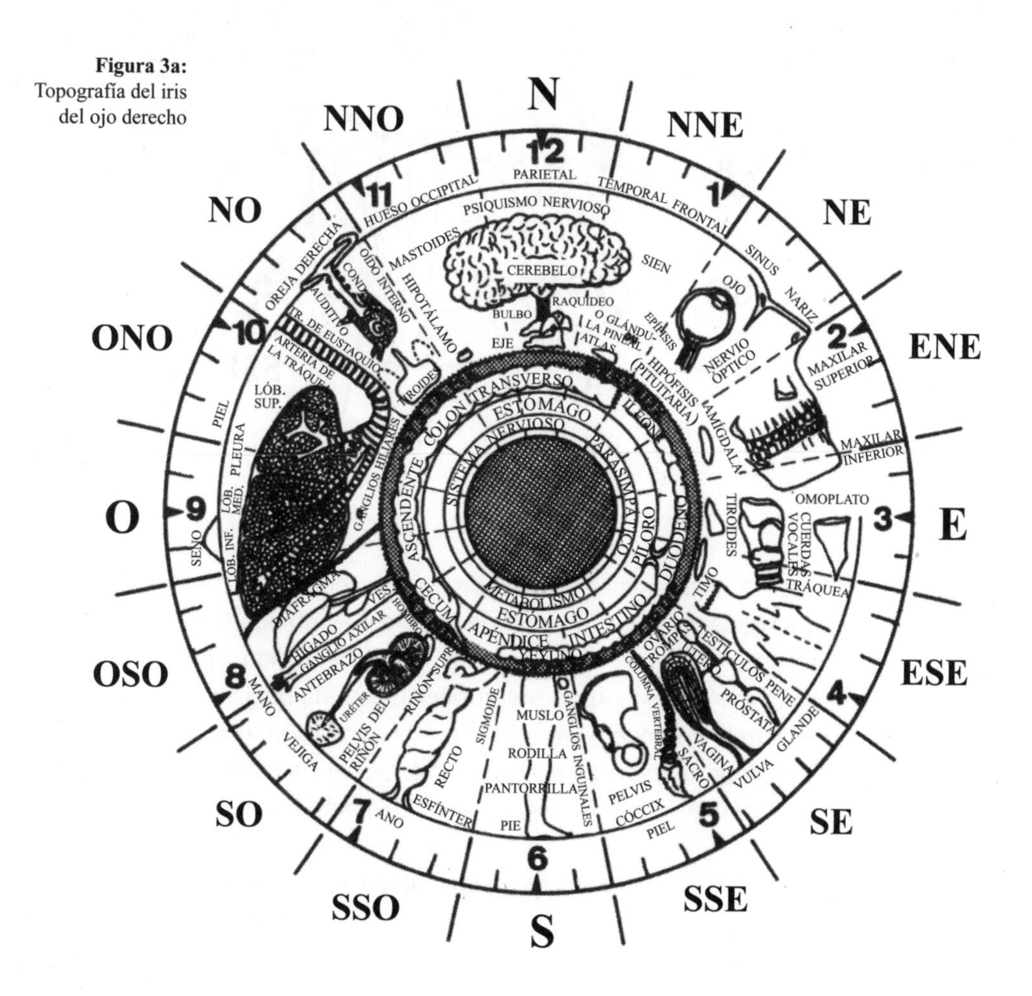

Figura 3a: Topografía del iris del ojo derecho

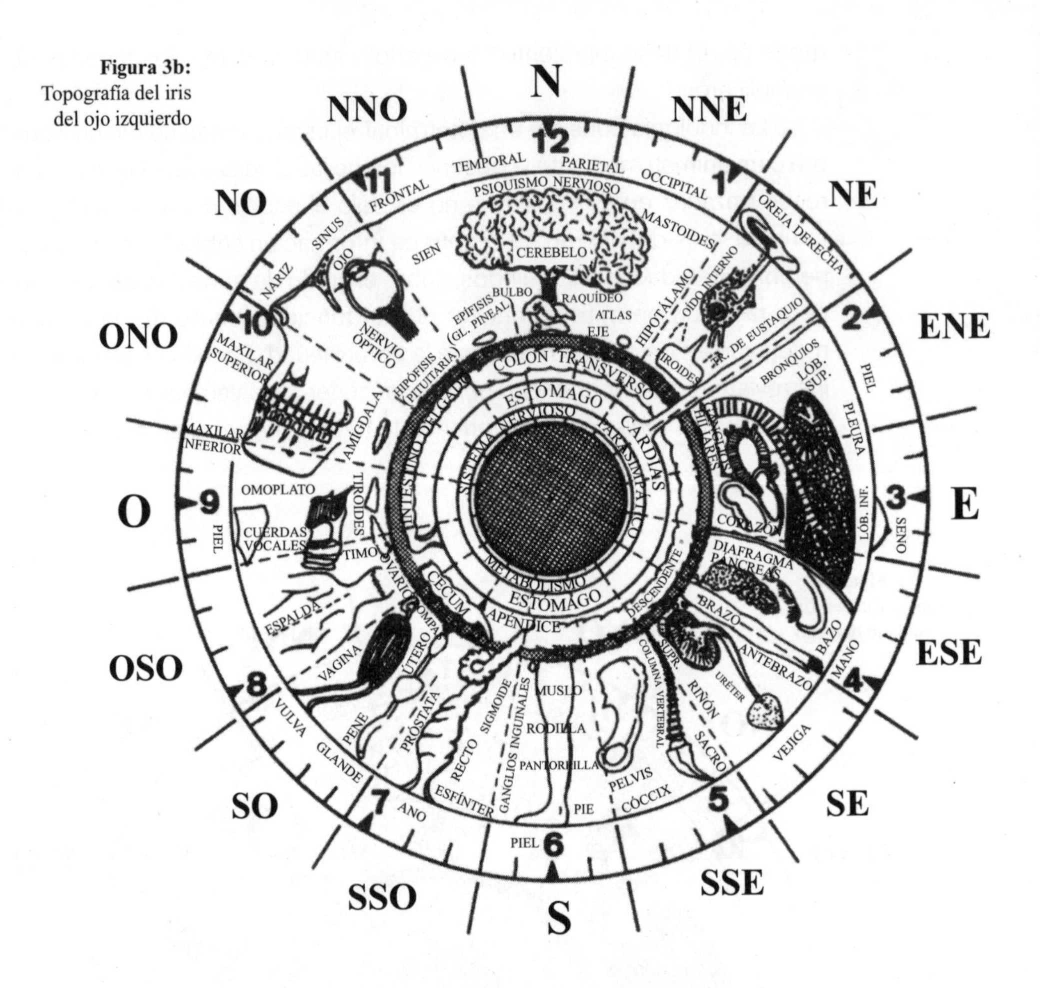

Figura 3b:
Topografía del iris
del ojo izquierdo

El examen se practica con un iridoscopio, o simplemente con una lupa especial y una lámpara de bolsillo. El iridólogo tiene en cuenta todo tipo de elementos: color de los ojos, pigmentación, un tejido prieto o flácido, manchas, lagunas, deformaciones de la pupila y otras señales que alteren la homogeneidad del iris. A continuación, estos indicios se interpretan en función de su localización en el mapa del iris, pero también según la relación que guardan unos respecto a otros.

Al igual que ocurre con la esclerótica, las manchas oscuras en el iris señalan la probabilidad o el riesgo de quistes o cálculos, según la zona en que se encuentren.

La pupila

En el adulto, la pupila ha de ser transparente (en el bebé es azulada). Si presenta una coloración pajiza, indica una disfunción hepático-biliar. Una tonalidad grisácea con frecuencia señala un problema renal. Una coloración castaño oscuro es señal de esclerosis orgánica. Una sombra púrpura o verdosa constituye un mal augurio.

Una pupila permanentemente dilatada –una señal muy yin– es un frecuente indicio del consumo de drogas o ciertos medicamentos. La pupila ha de ser pequeña y reaccionar rápidamente a todo cambio en la luminosidad. Una reacción débil evidencia una debilidad del sistema nervioso autónomo.

Los párpados

No hemos de parpadear más de cuatro veces por minuto. Un parpadeo superior a esa frecuencia revela un exceso de yin. Los bebés no lo hacen, y una persona con buena salud puede no necesitarlo durante muchos minutos. Esta señal de fuerza se emplea tradicionalmente para intimidar a un adversario al que se mira fijamente, sin parpadear.

Si tiramos ligeramente del párpado inferior, podemos examinar el interior, un buen indicador del sistema circulatorio. Esta zona ha de tener un color rosado. En caso de que sea demasiado pálida, manifiesta una anemia; si aparece enrojecida en exceso, nos encontramos ante una infección o inflamación. Un tejido preponderantemente yang puede manifestarse en la aparición de granulaciones en esta zona: el tracoma, debido al abuso de subproductos animales, sobre todo queso, leche y yogures.

Los depósitos o secreciones de mucus en la cara interna o externa de los ojos revelan depósitos similares a nivel orgánico:

— en el párpado superior: depósitos en los órganos situados en la parte alta del cuerpo;
— en el párpado inferior: depósitos en los órganos situados en el abdomen.

Un mucus blancuzco evidencia un abuso de productos lácteos y grasas animales, mientras que uno amarillento señala una ingesta desmesurada de queso y huevos.

Las pestañas son indicadores del sistema nervioso. Como todas las zonas pilosas (cabellos, vello...), crecen en las regiones terminales del sistema nervioso.

— Las pestañas del párpado superior y el propio párpado son indicadores del estado del cerebro y de la cabeza en general.
— Las pestañas del párpado inferior y el propio párpado indican el estado de los órganos genitales.

Normalmente las pestañas se curvan hacia el exterior. Si lo hacen hacia el interior, esto revela problemas sexuales: impotencia en el hombre y frigidez, esterilidad o tendencia al aborto natural en la mujer.

El perímetro del ojo

Esta región corresponde a los riñones. Las bolsas bajo los ojos o un edema en este lugar generalmente están relacionados con una insuficiencia renal.

— Si las bolsas son flácidas, revelan una retención de agua asociada a una fatiga renal.
— Cuando las bolsas presentan una consistencia más endurecida, evidencian un consumo inmoderado de materias grasas, lo que también origina insuficiencia renal.
— Una coloración rojiza bajo los ojos descubre una obstrucción de la sangre en la región renal.
— Puede suceder que aparezcan pequeños vasos sanguíneos, hinchados y a veces decolorados: se trata de un indicio de cálculos renales. Cuando no aparecen decolorados, es una probable señal de quistes o diversas acumulaciones de grasa.

Importante: *estas diversas señales aparecen en el lado correspondiente al órgano afectado, sin inversión: el ojo derecho para el lado derecho y el izquierdo para el lado izquierdo.*

La nariz

— Larga y prominente es eminentemente yin; ancha y chata es yang.
— Las aletas nasales muy abiertas también son un signo yang, mientras que una nariz afilada es yin.

— La punta de la nariz corresponde al corazón. Si en ese lugar aparece un pequeño surco, una arruga o una ligera hinchazón, esto es señal de que los dos lados del corazón –derecho e izquierdo– están desequilibrados y la persona carece de energía física o psíquica: tiene predisposición a las dolencias cardíacas. Una mala alimentación es un factor agravante.
— Una persona cuya nariz aparezca inflamada y dilatada corre el riesgo de tener un corazón en el mismo estado: grande y dilatado. Ese estado puede deberse a una profusión de líquidos en el organismo –en ese caso la nariz se mostrará hinchada y flácida– o a un consumo desmesurado de queso y mantequilla –por lo que la inflamación adoptará una consistencia endurecida y sólida, indicio de depósitos de grasa que pueden provocar arteriosclerosis: aquí existe la probabilidad de trastornos cardíacos serios, con riesgo de infarto de miocardio.

No olvides que los pómulos, a cada lado de la nariz, se vinculan a los pulmones: ten en cuenta su coloración, la textura fina o áspera de la piel, etc.

La boca

Idealmente la boca debería tener aproximadamente la misma anchura que la nariz, lo que resulta muy difícil de encontrar en la actualidad debido a que nuestra nariz es demasiado estrecha: son múltiples los indicios del exceso de yin. Nuestra boca, progresivamente más grande, no deja de ser una señal de degeneración biológica.

— Yang: la boca es pequeña y los labios delgados. Revela una poderosa vitalidad.
— Yin: es grande, orlada de labios muy carnosos. Si es demasiado grande, manifiesta una debilidad del aparato digestivo.

Entre la nariz y el labio superior

La zona situada entre la base de la nariz y el labio superior corresponde a los órganos genitales.

— Una boca pequeña y apretada señala, en las mujeres, una vagina estrecha.
— Una boca grande y de labios gruesos revela unos intestinos dilatados y también tendencia al estreñimiento.
— En las mujeres, la aparición de un "bigote" sobre el labio superior revela una debilidad de los órganos genitales.
— Las arrugas verticales muestran una predisposición a la contracción de los órganos genitales, como ocurre en las personas mayores, así como una tendencia a los quistes y fibromas.
— Una arruga horizontal que atraviesa el labio superior cuando la persona sonríe indica impotencia sexual en los hombres y problemas de menstruación en las mujeres. Con frecuencia la causa se debe al consumo excesivo de subproductos animales y sobre todo de lácteos.
— Los surcos en el labio superior y alrededor de la boca revelan una mala coordinación entre los dos lados del cuerpo y una sobreabundancia de yin que predispone a la falta de resistencia. El caso del labio leporino es un ejemplo extremo: durante el embarazo la madre ingirió una alimentación fundamentalmente yin; la carencia de yang impide que el rostro se contraiga lo suficiente para que su formación sea la adecuada.

El labio superior

El labio superior corresponde al estómago. Su hinchazón es indicio de aerofagia:

— La parte superior del labio se corresponde con el tramo superior del estómago, donde se segregan los jugos gástricos.
— La parte intermedia del labio se relaciona con el segmento intermedio del estómago, menos ácido.
— La parte inferior y las comisuras de la boca se corresponden con el duodeno y desembocan en las regiones correspondientes al hígado, a la vesícula biliar y al páncreas, que en el Dien' Cham' se sitúan en las mejillas. Si se encuentra hinchada, es señal de aerofagia.

El labio inferior

El labio inferior corresponde al intestino y su hinchazón implica una aerocolía. Si la hinchazón afecta sólo al perímetro del labio inferior, nos encontramos ante un indicio de estreñimiento crónico. Si se forma un surco sobre el labio inferior, esto indica una constitución con predominio yin que puede corregirse a largo plazo mediante una alimentación más yang. El herpes labial manifiesta una tendencia a las ulceraciones y a la obstrucción sanguínea en el tubo digestivo. De ello también se pueden deducir ulceraciones en la propia boca (aftas, etc.). En este caso, también el lado afectado de la boca corresponde al lado afectado del cuerpo. Los labios pálidos señalan una defectuosa asimilación a nivel intestinal.

Un pliegue nasógeno muy marcado (se trata de los dos surcos que rodean la boca desde la base de la nariz hasta las comisuras de los labios) revela problemas intestinales (colon).

Los dientes

Los dientes que sobresalen son yin. Aquellos cuyos dientes se inclinan hacia el interior padecen un exceso de yang. Los dientes rectos y bien alineados corresponden a personas tranquilas y pacientes, con una alimentación equilibrada. Cada vez hay más personas cuyos dientes "se inclinan en todas direcciones": unos hacia dentro, otros hacia fuera. Esto es señal de una alimentación caótica, a un tiempo excesivamente *yin* y yang. Este tipo de dientes causan muchos problemas; quien los posee oscila incesantemente, a imagen de aquéllos, entre los extremos, entre la depresión y la cólera. A estas personas les resulta muy difícil alcanzar el equilibrio, al igual que la práctica de un régimen equilibrado.

La parte superior de la cabeza

También podemos examinar la parte superior de la cabeza refiriéndonos a la textura de los cabellos en estas áreas (espeso o fino como el de los niños) y a su abundancia (o ausencia). Los cabellos han de ser abundantes y resistentes en todas las zonas; lo contrario revelará una debilidad en la zona correspondiente.

— Los cabellos espesos muestran que la persona se ha alimentado con grandes cantidades de verduras y cereales.
— Por el contrario, los cabellos demasiado finos revelan una excesiva alimentación de origen animal. Quienes consumen sobre todo verduras y cereales, con un equilibrio exacto entre el yin y el yang, a menudo tienen el pelo lacio, mientras que el cabello rizado u

ondulado con frecuencia resulta de una alimentación con un exceso de yin o yang.

— El cabello seco es con frecuencia consecuencia de la falta de líquidos.

— El graso corresponde generalmente al consumo incontinente de productos de origen animal, sobre todo derivados lácteos, y azúcar.

— Si el cabello se cae en exceso, es signo de mala salud.

— Los cabellos grises y blancos son una señal de que el individuo está inmerso en el yin.

Figura 4
Zonas reflejas de la parte superior de la cabeza (según Michio Kushi)

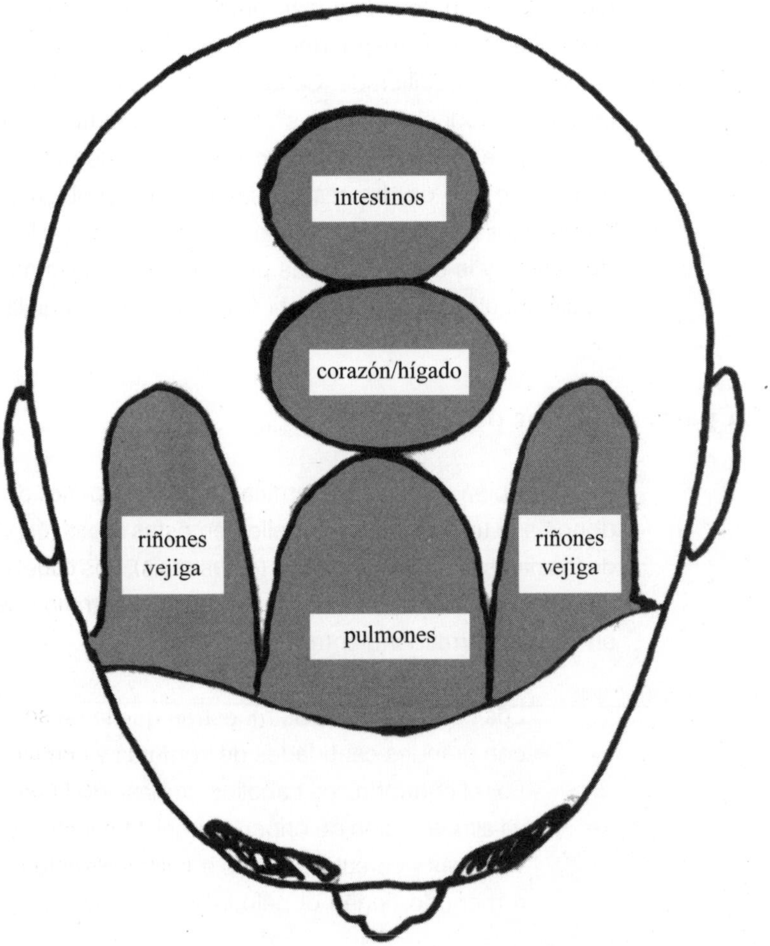

Los cabellos corresponden a las vellosidades intestinales. La calvicie es señal del debilitamiento de los órganos internos. El examen de las zonas más afectadas revela las zonas orgánicas correspondientes. Así, una debilidad de los pulmones debida a una alimentación demasiado *yin* o al tabaquismo se manifestará en primer lugar por una calvicie en las sienes.

El masaje del cráneo

La parte superior del cráneo se puede representar recorrida por líneas imaginarias a lo largo de las cuales se sitúan diversos puntos de acupuntura:

— La primera línea [1] –mediana– atraviesa el centro del cráneo.
— La segunda línea [2] parte del lado interno del ojo.
— La tercera línea [3] arranca del lado externo del ojo.
— La cuarta línea [4] parte de la sien.

Estimular estos puntos con los dedos es simple y agradable:

— Durante algunos segundos, ejerce una fuerte presión con los cuatro dedos de cada mano a ambos lados de la línea mediana, en toda su longitud, y a continuación disminuye la presión.
— Aplica el mismo masaje a las segundas líneas que parten del lado interno de los ojos.
— Realiza la misma operación en las líneas tercera y cuarta.

Este sencillo masaje estimula los meridianos de la parte superior de la cabeza. Permite una tonificación del sistema nervioso y del riego sanguíneo del cerebro, y alienta el flujo del ki o chi.

Principales efectos:
— Favorece la concentración.
— Mejora la memoria y aclara las ideas.
— Aquieta la mente.
— Atenúa el dolor de cabeza, las migrañas y el vértigo.
— Calma la ansiedad y la tensión nerviosa.
— Estimula el riego sanguíneo del cerebro.
— Previene la caída del cabello y mejora la salud del cuero cabelludo.

Figura 5
Masaje de la parte superior del cráneo

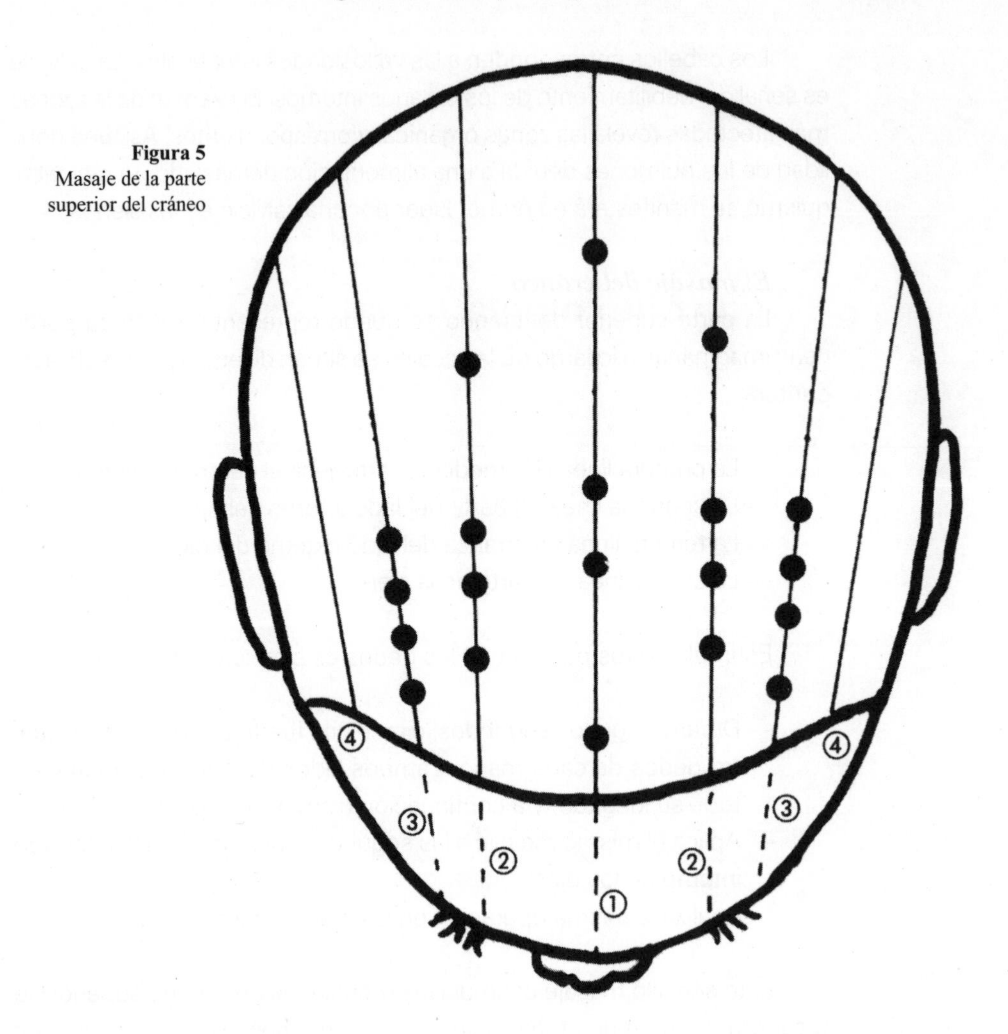

SEGUNDA PARTE

La reflexología facial china

Acupresión, Do-In y Ji-Jo

Alternativa a la acupuntura clásica, que consiste en la estimulación de ciertos puntos situados en los meridianos con ayuda de agujas, la acupresión las sustituye por un masaje manual. En China, este método fue, durante mucho tiempo, la terapéutica utilizada en los niños, en sustitución de la acupuntura. Hubo que esperar a la dinastía de los emperadores Ming (siglos XIV-XVII) para que el uso de esta forma de masaje se extendiera y empezara a practicarse más asiduamente. Todas las tradiciones han establecido por su cuenta la idea según la cual "el microcosmos refleja el macrocosmos", base de toda reflexología. Lo mismo ocurrió en la antigua China, donde se creía que cada parte del cuerpo –ojo, nariz, oreja, boca, rostro, manos y pies, etc.– contiene la proyección energética del cuerpo en su conjunto. Estas técnicas se aplicaban como una especie de terapia de urgencia que permitía aliviar el dolor mientras llegaba el médico, pero también se consideraban terapias de salud doméstica destinadas a prevenir las enfermedades tratando los síntomas desde su aparición.

— **La acupresión o Do-In** se practica en todo el cuerpo, al igual que la acupuntura. En este libro me limitaré, obviamente, a la acupresión practicada en el rostro. En la antigua China, este automasaje se denominaba Tao-Yin; era muy usado por los campesinos y los monjes.

Advertencia

El masaje chino o acupresión se desaconseja a quienes padezcan dolencias cardíacas y a mujeres embarazadas.

— **El Ji-Jo** (que en chino significa "primeros auxilios") es un método de acupresión que agrupa los puntos susceptibles de prestar grandes servicios en la mayoría de los casos. Son puntos de acupuntura que se estimulan con los dedos. Es conveniente no tomar la expresión "primeros auxilios" es su acepción occidental: su objetivo consiste simplemente en aliviar con rapidez el dolor y los síntomas leves.

Armonizar el yin y el yang

En el cuerpo humano, así como en el universo, todo es inestable y busca perpetuamente el equilibrio. Según la tradición china, la enfermedad se explica siempre por un desequilibrio energético entre el yin y el yang: la carencia o sobreabundancia acaban por repercutir en uno u otro de los órganos del cuerpo si no hacemos nada para remediarlo. Al igual que la acupuntura, el masaje chino tiene como objetivo primordial prevenir la enfermedad armonizando la energía que fluye a lo largo del cuerpo a fin de asegurar un óptimo funcionamiento. Recuerda que la finalidad de la medicina china tradicional ha sido siempre mantener el buen estado de salud de la persona, no como en Occidente, donde se espera a que esté enferma para intervenir. Practicadas con regularidad, estas técnicas estimulan las defensas naturales del organismo de modo que la enfermedad no pueda desarrollarse.

Cómo practicar la acupresión

Existen muchas técnicas que se emplean tanto para estimular los puntos de acupuntura como las zonas reflejas. De este modo es posible:

— hundir la uña en el punto como si se tratara de una aguja;
— apretar con más o menos fuerza el punto o la zona;
— ejercer una presión con ayuda de un bastoncillo de madera o un bolígrafo;
— masajear el punto o la zona con la extremidad de los dedos realizando un movimiento circular;
— amasar la piel entre los dedos;
— practicar lentos pellizcos destinados a mejoras la circulación de la sangre, así como de la energía.

Recuerda que, en la mayoría de los casos, se trata de la estimulación de puntos de acupuntura o zonas próximas a estos puntos. Por lo tanto, podrás incrementar el efecto de tu masaje añadiendo una rotación en un determinado sentido en función de si deseamos **tonificar**, es decir, concentrar la energía en ese punto, o **dispersar** la energía allí donde se concentra en exceso:

— Para **tonificar**: ejerce una presión rápida y enérgica alrededor del punto efectuando una rotación en el sentido de las agujas del reloj. También se puede masajear el punto, para lo cual es necesario ejercer una presión suficiente y trabajar la zona arrastrando la piel en el sentido de las agujas del reloj.
— Para **dispersar**: ejerce una presión dilatada y profunda realizando una rotación en el sentido contrario a las agujas del reloj. Además, masajea profundamente y trabaja la zona en el sentido inverso a las agujas.

Este capítulo no pretende ser un tratado de acupresión: la técnica es muy conocida y se han escrito numerosos libros sobre ella. Se trata sólo de exponer someramente las diversas técnicas de masaje facial susceptibles de complementar el masaje vietnamita, escasamente o nada conocido, al que este libro dedica buena parte de su espacio.

Las zonas reflejas del rostro en el masaje chino

Encontrarás estas zonas en la **figura 6**. Comparadas con otros sistemas, son muy pocas, pues en realidad rodean y acompañan de algún modo los puntos situados en los meridianos.

La técnica es simple: basta con masajear durante algunos segundos las diversas zonas cuyas correspondencias parezcan convenientes. Cesa la estimulación cuando experimentes alivio.

— En el centro de la frente, junto a la raíz del cabello, la zona refleja de la laringe.
— A continuación, la de la tráquea.
— En el centro de la frente, las zonas reflejas de los pulmones y bronquios.
— Entre los ojos, la zona refleja del corazón.

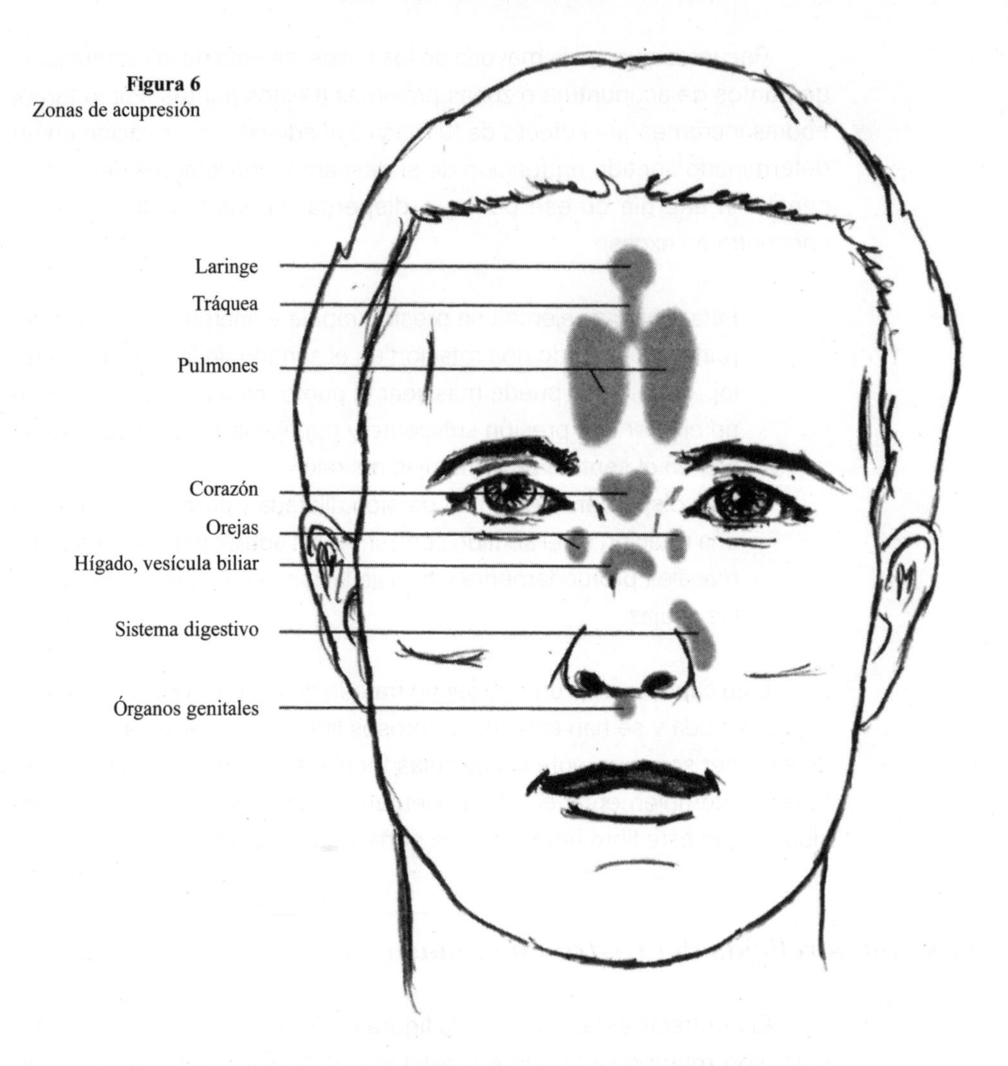

Figura 6
Zonas de acupresión

— En el caballete de la nariz, justo en el medio, la zona refleja del hígado y la vesícula biliar.
— El bazo se proyecta en el caballete de la nariz, antes de las fosas nasales.
— Las orejas se proyectan en la base de la aleta nasal, a cada lado, en un pequeño hueco situado aproximadamente a un centímetro y medio del rabillo interno del ojo.
— El sistema digestivo se proyecta a la izquierda de la nariz, en el reborde de la fosa nasal.
— Los órganos genitales masculinos y femeninos están representados por un punto situado justo en la base de la nariz (es el 25VG,

pero también un punto de reanimación –o Kuatsu– y el punto 19 del Dien' Cham').

Algunos puntos de acupresión del rostro

Sin pretender ser exhaustivos, repasaré algunos de los puntos y zonas susceptibles de proporcionar un rápido alivio a las pequeñas molestias más habituales. Puedes practicar estos masajes en ti mismo y en otra persona.

— Masajea la parte intermedia de la frente con el índice y el dedo medio, desde la raíz del cabello hasta el nacimiento de la nariz (entre las cejas). Efectúa pequeños movimientos circulares ascendentes y descendentes a lo largo de la zona.
Indicaciones: problemas respiratorios, bronquitis, asma...

— Con el pulgar y el índice, pellizca el punto Yin-Tang, situado entre las cejas, hasta que la piel enrojezca. Este punto forma parte de los puntos "extraños", situados al margen de los meridianos.
Indicaciones: dolor de cabeza, insomnio, sinusitis, vértigo... y también para la resaca.

— Encuentra los puntos situados a ambos lados de la nariz, en su base, en la intersección del hueso nasal y el cartílago. Masajéalos en profundidad.
Indicaciones: estos dos puntos descongestionan la nariz en caso de catarro; además, están indicados para luchar contra el tabaquismo.

— Aprieta con fuerza el punto situado a cada lado de las fosas nasales, donde la aleta nasal se une a la mejilla (0GI).
Indicaciones: catarro, sinusitis, enfriamientos, gripe y laringitis.

— Estimula el punto 25VG, situado justo en la base de la nariz, presionando contundentemente con la uña. Este punto es también un Kuatsu, un punto de reanimación. Practícalo en caso de emergencia mientras llega la atención médica cuando el sujeto ha perdido el conocimiento o ha sido víctima de una crisis de epilepsia; en este último caso, no olvides colocar un objeto entre sus dientes para evitar que se muerda la lengua.
Indicaciones: desmayos, crisis de epilepsia, lipotimia...; también útil en caso de crisis de... estornudos.

— Estimula el punto situado en el hueco del rostro a 2,5 centímetros por delante del trago (el pequeño triángulo de piel y cartílago situado a la entrada de la oreja).
Indicaciones: dolor de dientes (mandíbula superior).

— El punto 24VG, situado en el extremo de la nariz, permite disipar la embriaguez. ¡Aunque sería mejor no tener que hacerlo!

— El punto 2VB, emplazado entre la oreja y el arco de la órbita, puede estimularse en caso de trastornos oculares.
Indicaciones: miopía, vista doble, fatiga en los ojos, conjuntivitis...

Una breve sesión de Do-In en el rostro

Esta breve sesión[1] ha de practicarse por la mañana, recién levantados, o a lo largo del día, como método para la relajación. Se puede proceder de pie o cómodamente sentados, con preferencia en un ambiente tranquilo. Trata de respirar profundamente mientras dura el ejercicio.

— Comienza frotando vigorosamente las palmas de las manos durante unos momentos, para que entren en calor.

— A continuación, localiza la línea mediana que parte de la base de la nariz, asciende al centro de la frente, atraviesa el cráneo y desciende hacia la nuca para terminar donde empieza la columna vertebral. Cierra los puños y golpea suavemente el cráneo a ambos lados de la línea (nunca encima).

— Dobla los dedos y, con las coyunturas, aplica una serie de golpecitos en el cráneo a ambos lados de la línea mediana. Parte del nacimiento del cabello y llega hasta la base del cráneo, trazando líneas paralelas a la línea mediana.

— Ahora, coloca los dedos estirados sobre el cráneo, siempre a ambos lados de la línea mediana, e imprime pequeños movimientos circulares a la piel del cráneo.
Esta serie de ejercicios estimula el buen funcionamiento mental. Pero su acción no acaba ahí: también favorecen la regeneración de la vejiga y los riñones, el buen funcionamiento del intestino, el alivio de las hemorroides, los problemas de próstata y, en las mujeres, la menstruación dolorosa.

1. Estos ejercicios están inspirados en los descritos en el libro de Martine Aubry y Ho-Han Chang, *Guérir par l'auto-massage Do-In*, Editions Edi Inter., 1995. En él encontrarás una sesión completa de Do-In destinada a la práctica cotidiana.

— Masajea el rostro con la punta de los dedos, aplicando leves pellizcos, de arriba abajo. *Este ejercicio estimula las funciones del estómago.*

— Coloca enseguida los dedos estirados de cada mano encima de las cejas del lado correspondiente. Efectúa pequeñas rotaciones en esa zona, arrastrando la piel. Vuelve a empezar, esta vez poniendo los dedos en la parte intermedia de la frente. A continuación una vez más, hasta el nacimiento del cabello. Repite el proceso tres veces. *Este masaje actúa sobre la circulación sanguínea, el sistema nervioso y la digestión.*

— Seguidamente, coloca los dedos de cada mano a ambos lados de una línea imaginaria que parte del nacimiento de la nariz y acaba en el nacimiento del cabello. Ejerciendo una presión moderada, desliza las manos hacia las sienes como si trataras de alisar o abrir tu frente. Repite dos veces este movimiento.

Este gesto tonifica los ojos, descongestiona el sinus y combate la fatiga nerviosa.

— Ahora, sitúa las manos a ambos lados de la nariz, con los dedos apuntando hacia arriba. Inspira a fondo, y luego espira profundamente mientras frotas vigorosamente la nariz. Repítelo varias veces.

Comprobarás que respiras más fácilmente, aun si no estás acatarrado. Excelente para luchar contra el tabaquismo, este ejercicio estimula al mismo tiempo la digestión.

— Le toca el turno a los ojos. Empieza cerrándolos y apretándolos muy fuerte; luego ábrelos lo máximo que te sea posible mientras espiras. Acto seguido frótate las manos y aplica las palmas en los ojos cerrados durante unos instantes.

Estos ejercicios descansan y revitalizan los ojos fatigados por la lectura o el trabajo en el ordenador. También previenen las arrugas alrededor de los ojos y las bolsas antiestéticas.

— Coloca los dedos horizontalmente sobre cada mejilla. Hazlos rotar desplazándolos hacia el interior (maxilar inferior, orejas, pómulos, nariz y comisuras de los labios). Repítelo siete veces.

Distiende la mandíbula, a menudo fruncida, y protege los dientes y las encías.

— Sitúa los dedos, ligeramente separados, sobre el labio superior, en las pequeñas cavidades por encima de las encías. Masajea presionando levemente. Realiza la misma operación en la base de los dientes de la mandíbula inferior.

Este masaje mejora la circulación en las encías, activa las glándulas salivales y estimula los meridianos del estómago, el intestino delgado y el intestino grueso.

— Masajea, con los pulgares, toda la zona situada bajo la mandíbula inferior partiendo del punto emplazado bajo las orejas hasta llegar a la punta del mentón.

— Para concluir este masaje facial, coloca las manos extendidas sobre el rostro y efectúa un barrido ascendente en ambos lados; prosigue en las sienes y por encima de las orejas; por último, desciende hacia la parte posterior de la cabeza para terminar en la nuca.

Los puntos de Knap

Georgia Knap no era china, sino francesa de origen alsaciano: nació el 25 de abril de 1866 cerca de Troyes. Dedicó su vida a investigar lo que llamaba "el milagro de Fausto", es decir, se consagró a encontrar el medio

Figura 7
Los puntos de Knap en la cabeza

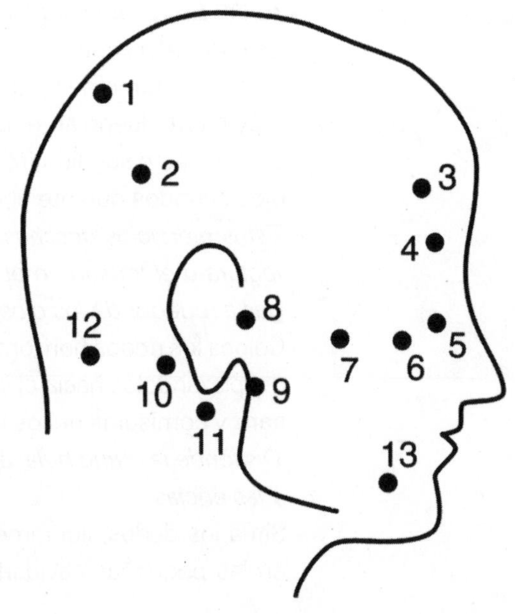

1 y 2	Cefalea, artritis
3 y 4	Sinusitis frontal, vista
5, 6 y 7	Sinusitis latero-nasal, catarro, resfriado, neuralgias faciales
8, 9, 10 y 11	Inflamación de la oreja
12	Cefalea
13	Artritis del maxilar

que permite conservar la juventud. De este modo descubrió un determinado número de puntos que facilitaban la eliminación de las acumulaciones de ácido úrico en las terminaciones nerviosas, con la ayuda de masajes. Creó un masaje de puntos dolorosos que aplicaba sobre sí misma cada mañana al despertar.

Estos puntos, de una intensidad dolorosa media en una persona con buena salud, resultan muy dolorosos en el caso de dolencias diversas, en razón de la acumulación de ácidos úricos, lácticos o toxinas. Como estos puntos se sitúan en trayectos nerviosos, su desbloqueo permite la liberación de los flujos y gracias a ello una mejor inervación de los órganos correspondientes.

Knap acababa de descubrir, por sus propios medios, los fundamentos de la energética china y de la reflexología.

Estos puntos se distribuyen a lo largo y ancho del cuerpo. La técnica consiste en encontrar el punto más doloroso para, a continuación acariciarlo con un movimiento circular del dedo o de la articulación del dedo doblado. La **figura 7** muestra los puntos del rostro, tales como Knap los dibujó, junto a sus indicaciones.

TERCERA PARTE

El Dien' Cham'

Un asombroso método vietnamita de reflexología facial procedente de la terapia facial del profesor Bui Quoc Chau

Esta terapia también es una forma de medicina comunitaria. En el ámbito de la curación se puede divulgar a gran escala para el gran público gracias a los primeros cuidados médicos.

Bui Quoc Chau

En vietnamita, Dien' Cham' significa simplemente "acupuntura facial", y por extensión "reflexología facial": Dien = *rostro y* Cham = *acupuntura.*

Mi encuentro con el Dien' Cham'

Mi primer libro sobre el Dien' Cham'[1] suscitó un verdadero entusiasmo en Europa, y ello debido a buenas razones, pues no en vano esta técnica puede considerarse "mágica" en ciertos casos: una vez aprendida, te permitirá sentirte bien contigo mismo sin necesidad de medicamentos, sin artilugios de ningún tipo, en todo momento y lugar. Para aliviar tu dolor y el de tus seres queridos sólo necesitas la ayuda de tus dedos, de un sencillo instrumento o, en última instancia, de un bolígrafo de punta redonda que te servirá para estimular los puntos necesarios en el rostro.

Como puedes comprobar, nada más simple. Tanto más cuanto que el resultado nunca se hace esperar: un dolor de cabeza desaparece en pocos segundos, uno de espalda se desvanece enseguida. Además, no hace falta que me creas: bastará con probar para convencerte...

Existen pocos métodos capaces de procurar tantas ventajas, permitiendo, a un mismo tiempo:

— curar una dolencia común sin recurrir automáticamente a los cuidados de un médico;
— aliviar tus dolores de un modo simple, eficaz y rápido;
— recobrar la salud provocando el efecto de un medicamento... sin tener que tomarlo;
— conquistar una cierta autonomía en el ámbito de la prevención de enfermedades, de un modo sencillo, con un mínimo de tiempo y esfuerzo... y gratuitamente.

Esto es, por tanto, todo lo que ofrece la reflexología facial, como tendrás ocasión de comprobar en breve.

***

1. *Le Dien' Cham', une étonnante méthode de réflexologie faciale vietnamienne*, Editions Jouvence, 2000.

Cuando trabé conocimiento del Dien' Cham' ya conocía otros sistemas de reflexología facial, entre otros el japonés. Asimismo, cuando conocí al hombre que me enseñó el método, Nhuan Le Quang, al que vi por vez primera en un salón de salud y naturaleza en Toulousse (Francia), mi reacción fue de escepticismo al escuchar cómo me explicaba que con "dos o tres golpes de lápiz" (o bolígrafo) era posible eliminar todo dolor, a veces de manera definitiva. Como yo también era reflexóloga, de sobra conocía los "milagros" que pueden provocar esas técnicas; no obstante, obtenerlos de un modo tan espectacular me resultaba muy difícil de creer.

Impelida por mi curiosidad en este campo, le propuse someterme a la experiencia prestando mi propio rostro (no tenía nada que perder). Él empezó preguntándome si padecía algún trastorno, si sufría algún tipo de dolor: no había ninguno. Sin embargo, como había buscado un motivo de queja, le expuse una desagradable parestesia en los dedos de la mano derecha, provocada hacía más de veintisiete años con ocasión de un accidente de manipulación de las cervicales: el brazo derecho se me quedó paralizado durante muchos meses y sólo la reflexología logró recuperarlo, a excepción de una pérdida de sensibilidad en las extremidades de los dedos.

—No hay problema –exclamó, ante mi sorpresa cada vez más impregnada de escepticismo–. Vamos a probar –armado de un bolígrafo convencional, me presionó el rostro con la extremidad redondeada, propinándome algunos golpecitos durante unos dos minutos.

—Y ahora, ¿qué sientes? –me preguntó, con el bolígrafo en el aire, presto a repetir el ataque. Ante mi sorpresa, tuve que reconocer que la energía había empezado a fluir en mis dedos "muertos"; sólo continuaba insensible una zona del índice. Tras indicárselo, se dispuso a friccionarme vigorosamente ciertas zonas del rostro durante unos diez segundos; a continuación volvió a preguntarme. *Todo volvía a ser normal* y era capaz de sentir los dedos de nuevo, después de veintisiete años.

Mi primera sesión de Dien' Cham'

La historia no concluye aquí. Evidentemente, me inscribí en el siguiente curso que Nhuan Le Quang impartía en la región un fin de semana próximo. Como aún no existía ningún libro ni manual sobre esta técnica, aprendimos sobre todo qué era el Dien' Cham', sus bases técnicas y filosóficas. No habíamos estudiado ninguna cuestión práctica; tan sólo, y muy fugazmente, algunos puntos, difíciles de memorizar, y un primer diagrama de proyección del cuerpo sobre el rostro: el diagrama 1 (figuras 8 y 8b). En aquel momento, yo tenía la impresión de ignorarlo todo sobre el tema.

A la mañana siguiente, lunes, tenía cita con mi dentista, un amigo con el que también mantenía relaciones profesionales. Al abrir la puerta de la sala de espera, me encontré, para mi sorpresa, a un hombre tirado en el suelo al pie del sillón y que padecía grandes dolores. Me apresuré a ayudarle a levantarse, pero me detuvo con un gesto:

—Me ha atacado la ciática y me duele mucho levantarme.

En esa tesitura entró mi amigo dentista:

—Acabo de llamar al SAMUR. ¿No tendrás algún remedio para aliviarle mientras llegan?

—¿Por qué no? Si está de acuerdo, voy a intentarlo.

Me decanté por la reflexología plantar y traté de quitarle, en vano, un zapato: mi "paciente" ni siquiera soportaba que le rozaran el pie. Algo confundida, me pregunté qué podría hacer. ¿Un masaje en las manos? De pronto recordé el conocido diagrama que habíamos estudiado el día anterior y que representaba la proyección de un hombre sobre el rostro. La ventaja es que una vez visto es imposible olvidarlo. No recordaba ningún punto, pero el esquema se me quedó grabado en la memoria debido a lo poco convincente que me resultaba.

Encontré un bolígrafo con un extremo redondeado en la mesa del despacho y me dispuse a presionar el rostro de mi paciente, con delicadeza, porque las zonas afectadas parecían doler mucho. Apliqué un rápido masaje a las zonas de la pelvis y la pierna correspondiente. Sufría mucho, y tuve que parar al cabo de pocos segundos. Me limité a cuatro o cinco fricciones en cada zona y paré un momento para que recuperara el aliento. Para mi sorpresa, decidió intentar sentarse sobre la nalga del pie que había resbalado; lo consiguió con gran esfuerzo, pero ya era un avance. Diez minutos más tarde, y como la ambulancia no llegaba, decidí intentar otra breve sesión, al cabo de la cual mi paciente logró incorporarse. En total, aquel día practiqué cuatro breves sesiones de veinte segundos en menos de media hora, al final de las cuales nuestro enfermo fue capaz de caminar, con dificultad, por supuesto, pero ¡qué resultado tan extraordinario! Pese a nuestro consejo (era obvio que aún no estaba bien y que no era suficiente con una sesión tan breve), decidió marcharse del consultorio y volver a casa conduciendo su coche. ¡Y fue capaz de hacerlo!

Yo no salía de mi asombro. Habían bastado cuatro breves sesiones de veinte o treinta segundos, realizadas, además, por alguien sin experiencia, para aliviar una ciática en plena crisis. Consciente de mis lagunas, sabía que no había utilizado más que un mínimo de las zonas que me habrían sido de utilidad. Al instante decidí que era necesario dar a conocer ampliamente este fascinante método y me resolví a escribir un libro sobre el tema.

He aquí cómo nació mi entusiasmo por esta técnica extraordinaria, tan sencilla de aplicar que todo el mundo puede aprenderla en unas cuantas horas, con el añadido de que, en caso de error, no presenta peligro alguno.

***

Qué época extraña ésta, en la que ha pasado a ser casi normal la idea de sustituir cualquier parte deteriorada de nuestro cuerpo por otra extraída de otro humano (y pronto animal), en la que se perfila en el horizonte de sabios locos la posibilidad, ya experimentada, de que todo sea absolutamente intercambiable, es decir, el conjunto del organismo; se conservaría la cabeza o simplemente el cerebro, que podría trasplantarse a otro cuerpo (¿de qué manera se "extraería", a quién se trasplantaría y bajo qué circunstancias?).

Ya se ha realizado con éxito la clonación de animales y pronto se hará en humanos; muchos ven en ello la solución a los problemas de fertilidad que padece nuestro Occidente estresado, contaminado por las hormonas debidas a los abusos en la alimentación y a los diversos tratamientos... Probablemente también sería la solución a la escasez de donantes para trasplantes de órganos, con las atroces consecuencias que podemos imaginar fácilmente.

Todo ello porque no se han tenido en consideración las sencillas leyes que rigen la salud y su restablecimiento, porque el hombre, inmerso en una aterradora megalomanía en este inicio de milenio, se cree, de pronto, por encima de las leyes naturales que desea dominar, cuando no negar pura y simplemente. Es evidente que en este asunto hay grandes intereses económicos en juego: un estudio realizado hace unos años demostró que a los gobiernos les resulta más "rentable" una población enferma que una sana. Por lo tanto, se ponen de relieve determinadas investigaciones, determinadas "pistas que arrojarán resultados en una década", generalmente con la forma de productos a menudo devastadores, mientras que se ocultan otros, recurriendo incluso a la fuerza para acallar los "descubrimientos" audaces que se emplean para curar sin el aval oficial, con medios poco costosos.

Ante estas presiones y descubrimientos oscuros, y las torturas que suponen para nuestros hermanos animales, indefensos ante semejante crueldad, así como, probablemente, para seres humanos que no siempre han dado su consentimiento (esta práctica ya ha tenido lugar, y no hay que dudar de que sigue activa dondequiera), experiencias que nos hielan la sangre de sólo pensar en ellas (¿hemos de pagar ese precio por nuestra supervivencia?), supone una bocanada de aire fresco comprobar que existen medios sencillos para mantener un buen estado de salud y conservarla cuando parece a punto de desmoronarse, antes de que advenga la degeneración y las enfermedades crónicas.

El Dien' Cham' forma parte de estas técnicas nuevas (o antiguas y finalmente redescubiertas) entre las cuales probablemente obtendría la palma de oro a la eficacia y la sencillez. El señor de La Palisse nos diría que, para no enfermar, lo mejor es no ponerse enfermo. Ahí reside la verdadera finalidad de este método.

¿Por qué siempre esperamos a que se desencadene la enfermedad para aprender a proporcionarnos los cuidados necesarios? Gracias a la reflexología facial todos estamos en condiciones de prevenir los eventuales problemas y aliviar las dolencias ya existentes. Evidentemente, esta técnica no sustituye a la medicina, sino que la complementa armoniosamente. El simple estudio de las bases de este asombroso método te permitirá aprender, en pocas horas, unos sesenta puntos y numerosas zonas reflejas situadas en el rostro, así como su aplicación en un buen número de dolencias comunes.

No obstante, si el mal ya está hecho, el Dien' Cham' también puede contribuir al alivio y aun a la curación. Aparte de los accidentes, sólo caemos gravemente enfermos si hemos descuidado los signos precursores del problema: la enfermedad no es una fatalidad que se abalanza sobre nosotros sin razón. Si restablecemos la armonía interna desde la primera señal de desequilibrio, éste sencillamente no prosperará. Por lo tanto, es necesario saber cómo actuar.

Ésa es la finalidad de este libro, cuyo enfoque es, ante todo, claro y práctico. Tendrás que practicar desde el principio, aun si te muestras incrédulo; inténtalo, sigue los consejos paso a paso... y comprueba los resultados. Es tan simple como esto. ¡Entonces, a por los lápices!

Pequeña historia del Dien' Cham'

Si la reflexología facial se conocía desde hace mucho en todos los países de Extremo Oriente como China o Japón, es en Vietnam donde encontrará su carta de nobleza y su más notable desarrollo en el transcurso de la década de los ochenta.

Las bases de esta fascinante técnica se fraguaron en Vietnam, en la Ciudad Ho Chi Minh (el antiguo Saigón), gracias al trabajo del profesor Bui Quoc Chau y de todo un equipo de médicos, investigadores y acupuntores. Pese a trabajar en un hospital, el profesor encontró interesantes los principios de la reflexología; la idea se le ocurrió al estudiar las eventuales correspondencias entre rostro y cuerpo. Así es, ya que, según los principios reflexológicos, cada parte del cuerpo refleja con el conjunto del organismo y se relaciona con él, ¿por qué esto no habría de aplicarse también al rostro, como ocurre con la planta de los pies, las orejas, las manos u otros lugares del cuerpo? Éste era el postulado fundamental.

Reflexología facial, *I-Ching* y principio de analogía

El *I-Ching*, conocido en Occidente como un método adivinatorio, no se limita a esta definición reduccionista. Existe una medicina muy rigurosa basada en su estudio. Algunos de sus aspectos descansan en el principio de correspondencia. Para poner un ejemplo musical, sabemos que los sonidos de la misma tonalidad se corresponden: si arrancamos una nota de un instrumento, otro situado en las inmediaciones puede entrar en resonancia y emitir los armónicos de esa nota.

Extrapolando ese principio, el profesor Bui Quoc Chau se dijo que sería lógico que todo lo que forma parte de la naturaleza también obedezca a esa ley. Éste era, además, uno de los principios del Kybalión, la "biblia" de la filosofía hermética atribuida al gran Hermes, que lo expresó del siguiente modo:

"Todo en la naturaleza se corresponde".

Así, en la medicina oriental se pretenden solucionar los problemas fisiológicos mediante el consumo de plantas, minerales o animales que presenten analogías con la parte del cuerpo o el órgano afectado. Aunque esto perturbe un tanto nuestras mentes occidentales, moldeadas en el espíritu cartesiano, hay que reconocer que parece funcionar bastante bien.

Sin embargo, las reglas de la reflexología no se deben al mero azar. Apoyándose, en principio, en esa hipótesis del *I-Ching* y del principio de analogía según el cual *las cosas de la misma forma presentan ciertas correspondencias*, el profesor Bui Quoc Chau se dedicó a estudiar el rostro bajo esta nueva perspectiva. "Debido a que la curvatura de la nariz recuerda a la de la columna vertebral, ha de corresponderse con ella y permitir tratarla", se dijo un día. Aprovechó el examen de un paciente que padecía dolor de espalda para recorrer con una punta el caballete de la nariz de éste: encontró un punto muy doloroso sobre el que clavó una aguja... y el dolor de espalda desapareció al instante. Repitió la experiencia en numerosas ocasiones: a cada nueva oportunidad, los resultados fueron excelentes.

Estos inicios prometedores lo incitaron a continuar. Se dijo que si la curva de la nariz corresponde a la columna vertebral, las aletas nasales, que se parecen a las nalgas, también tendrían que ser su correspondencia. Las piernas estarían, entonces, representadas a ambos lados de la nariz, a lo largo del pliegue nasógeno (es decir, la arruga que alcanza las comisuras de los labios partiendo de las fosas nasales), y las cejas se corresponderían con los brazos y hombros. De este modo descubrió la primera proyección del cuerpo a nivel del rostro (véase el diagrama 1).

Del budismo a la medicina moderna

La continuación de sus trabajos le llevará a dibujar hasta veinticuatro sistemas de proyecciones del cuerpo sobre el rostro y a descubrir más de quinientos puntos en él (he de señalar que en acupuntura tan sólo se han registrado una treintena).

Mediante este proceso estableció, junto a su equipo, una nueva reflexología, aún más compleja y eficaz que la acupuntura. Bautizó a este método con el nombre de facioterapia, que resume en una sola palabra los dos términos frecuentemente empleados por él y sus discípulos: facio-diagnóstico y terapia cibernética.

El *facio-diagnóstico* significa "diagnóstico facial": la localización de puntos dolorosos, pero también de los así llamados puntos mudos (insensibles) que permiten establecer un diagnóstico. No obstante, hay que precisar que este *facio-diagnóstico* no tiene nada que ver con el diagnóstico oriental descrito anteriormente.

En cuanto a la cibernética, se trata de la compleja ciencia moderna en la que se hermanan la mecánica y la electrónica. ¿Por qué, entonces, hablar de *terapia cibernética* en este caso? Simplemente porque el profesor Bui Quoc Chau considera el rostro un tablero de mandos o el teclado de un ordenador: basta presionar un botón para obtener, a distancia, una respuesta de un órgano, la regulación de una función orgánica o el alivio de un dolor. ¡Casi mágico!

> *"La facioterapia se puede considerar una forma de reflexología multidireccional y multisistema. En ese sentido es diferente de la reflexología clásica, que es unidireccional" (la proyección sólo se hace en una dirección y sobre una única superficie plana).*
>
> *Profesor Bui Quoc Chau*

El único inconveniente, no precisamente menor, es que la facioterapia es un método tan complejo que sólo pueden emplearlo los especialistas que lo hayan estudiado durante muchos años. Si bien se basa en la medicina oriental (en concreto, en la acupuntura) y occidental (sobre todo en los campos de la anatomía, la fisiopatología y la neurología), también abarca ámbitos diversos como la química, la física, la geometría, la cibernética, la noción de los cuerpos energéticos e incluso la filosofía y la cultura orientales, inspirándose en principios fundacionales tanto del budismo como del zen, el taoísmo, el confucianismo y el *I-Ching*, asumiendo determinados aspectos de la tradición popular vietnamita: la medicina popular, evidentemente, pero también la lengua, los refranes, el folclore y otras manifestaciones del acervo de esta antigua civilización. El conjunto de estos conocimientos sirve, pues, de punto de partida para la elaboración de reglas como el principio de correspondencia, el de semejanza, el de simetría, el del "punto mudo" y el del efecto inverso. Por esta razón es difícil que un occidental comprenda el proceso a través del cual se ha forjado la facioterapia, a menos que se sumerja en el espíritu de esas grandes tradiciones. Se la puede definir como una especie de síntesis de la reflexología, el masaje y la acupuntura. Sin embargo, hemos de advertir que, aunque se basa en la medicina oriental tradicional, la facioterapia no tiene nada que ver con la acupuntura facial de la medicina china. Este método es completamente original.

He de señalar también que el profesor Bui Quoc Chau amplió más tarde los principios que configuran el cuerpo teórico de la facioterapia.

A continuación, Nhuan Le Quang, de origen vietnamita, aunque en la actualidad reside en Francia, se basó en esta teoría e investigación para elaborar su propio método simplificado, el Dien' Cham'.

Nhuan Le Quang: un destino insólito

En su caso, todo empezó de una manera extraña. Cuando aún vivía en Vietnam, hace veinte años, un médium le predijo que un día curaría a la gente, viajaría mucho por todo el mundo, se haría famoso y "difundiría" un método diferente a todo lo conocido hasta ese momento. Esta extraña predicción dejó a Nhuan Le Quang perplejo y más bien escéptico: en aquel momento era arquitecto y vivía en un país comunista, en Vietnam del sur, lo que no parecía augurar semejante porvenir. Además de ello, padecía un asma crónica que lo sumía en un permanente estado de postración; la predicción le pareció completamente absurda. "Sin embargo –como él mismo cuenta– yo era pesimista en aquel tiempo. Y como estaba destinado a introducirme en aquello, tuve que aprenderlo todo solo. A través de mis experiencias descubrí dos técnicas tan simples que había que verlo para creerlo. Continué con ellas y, lo creas o no, funcionaban, y eso era lo importante".

Buena parte de su familia había emigrado a Francia en 1975, después de las "revueltas comunistas". En aquel tiempo, circunstancias familiares le impidieron hacer lo mismo; contrariado, tuvo que permanecer en Vietnam. No obstante, gracias a esta circunstancia aparentemente desfavorable tuvo la oportunidad de conocer este método. Como él mismo explica: "¡Por esto merece la pena haber pasado once años en un país comunista!".

Asma y facioterapia

En 1985, tras haber oído hablar de la facioterapia, pensó en utilizarla para intentar liberarse de su aguda asma. Se dirigió, entonces, al centro en el que se practicaba ese método, dirigido por el profesor Bui Quoc Chau. En aquel tiempo se empleaban agujas de acupuntura para tratar las zonas reflejas del rostro, lo que estaba lejos de ser agradable. Sin embargo, probó la experiencia, diciéndose que, si podía aliviarlo, no pedía más.

Dejó que le colocaran agujas en el rostro, lo que tuvo un efecto inmediato y asombroso: para su gran sorpresa, su resfriado incipiente, que normalmente degeneraba en crisis de asma al cabo de poco, desapareció al momento, su nariz dejó de gotear y cuando abandonó el centro comprobó que no le había quedado el más mínimo rastro.

El método le pareció extraordinario y ese mismo día se procuró agujas de acupuntura, así como una obra detallada que exponía la técnica: quería ser capaz de curarse solo, en el momento en que su enfermedad se manifestara, sin estar obligado a esperar una cita.

Hay que reconocer que, al principio, no comprendió gran cosa debido a la complejidad del método: los principios del yin y del yang, los Cinco Elementos y los múltiples principios fundacionales de la facioterapia le parecieron un verdadero laberinto en el que se extraviaba, y el temor a no encontrar el camino le sumía en la desesperación. A pesar de todo, con el tiempo y mucha paciencia, logró discernir, en semejante laberinto, los puntos que parecían convenirle. El catarro precursor del asma apareció algunas semanas más tarde; se dijo que no perdía nada intentando el tratamiento. Tras localizar los puntos del resfriado, se situó ante un espejo y se clavó él mismo las agujas en el rostro. El catarro desapareció inmediatamente.

Ante semejante resultado, se esforzó en comprender bien tan extraordinario método, esperando, de este modo, procurarse los medios para curarse a sí mismo y a su familia, porque finalmente pretendía abandonar Vietnam. Como siempre ocurre en estos casos, sus allegados le sirvieron de cobayas.

Un método simplificado

Tras decidir reunirse con los otros miembros de su familia, llegó a Francia en 1986. Y allí el destino le proporcionó un último impulso. Tras pasar varios meses buscando trabajo en vano, recordó que conocía un método extraordinario para curar fácilmente y sin peligro. De este modo, decidió ampliar su campo de experimentación y refinar el estudio al que se había dedicado en solitario, armado tan sólo con su libro. Evidentemente, esto le llevó un tiempo, dada la complejidad de los fundamentos de lo que en el futuro sería el Dien' Cham'.

En este momento conviene, no obstante, lanzar un mensaje de tranquilidad: no tendrás que comprender las difíciles nociones del yin y el yang, del *I-Ching* y otras para utilizar provechosamente el método; ni tan siquiera será necesario que conozcas los meridianos, lo que supone una gran ventaja para nuestros espíritus occidentales. Si en Vietnam se utiliza normalmente una punta de acero para sustituir a las agujas, en Francia, como en el resto de los países occidentales, no se emplea este procedimiento: los pacientes suelen rechazar ese tipo de tratamientos faciales porque son dolorosos y la gente los soporta mal. Tras comprobar este hecho, Nhuan Le Quang pensó en el problema y descubrió técnicas más simples, cómodas y de fácil aplicación, cuyos resultados no tenían nada que envidiar a las agujas o a la estimulación con la punta de acero.

Material: un simple bolígrafo

Así descubrió que con cualquier utensilio redondeado, como un simple bolígrafo, se podían obtener excelentes resultados con un mínimo esfuerzo. Como la legislación francesa prohíbe el uso terapéutico de las agujas a quienes no son médicos, esta nueva técnica permite aliviar sin peligro para el paciente y sin riesgo para el practicante.

A continuación, y en una progresión ascendente, lo invitaron a impartir conferencias y a demostrar su procedimiento, especialmente en salones de medicinas alternativas. La primera vez que lo invitaron, la noticia de los resultados obtenidos se extendió como un reguero de pólvora, lo que le llevó a practicar (voluntariamente) el Dien' Cham' en cientos de personas. Es preciso decir que una sesión media no dura más de... uno o dos minutos. Cuanto más practicaba más se le aclaraban las ideas, más advertía que se podían obtener resultados con medios muy simples, sin ningún material especial, gracias al mero conocimiento de algunos puntos. Así, logró simplificar considerablemente el método reduciéndolo a unos sesenta puntos básicos que era preciso estimular gracias a una técnica original y muy eficaz.

Nhuan Le Quang decidió, entonces, enseñar esta nueva reflexología según el método simplificado que acababa de concebir. En su opinión, la técnica llamada facioterapia no expresaba nada en concreto y no guardaba relación con lo que él acababa de crear, así que decidió emplear el nombre de "Dien' Cham'", que era más expresivo.

Así nació el Dien' Cham', reflexología facial o acupuntura facial en vietnamita, una técnica limitada a unos sesenta puntos reflejos situados en el rostro, localizados y clasificados gracias a una plantilla imaginaria y a algunos sistemas de proyección del cuerpo sobre el rostro que definen las diversas zonas reflejas.

Advertencia

El método que se describe en este libro está esencialmente tomado de los trabajos del profesor Bui Quoc Chau y de la simplificación efectuada más tarde por Nhuan Le Quang.
Sin embargo, también he tenido en cuenta mis propios conocimientos, mi práctica, mis observaciones y las preguntas planteadas en el transcurso de mis conferencias y cursos. Mi intención consiste en que todos –terapeutas, enfermos, pero también quienes gocen de buena salud y quieran conservarla– puedan aplicar esta compleja técnica. Como quería un libro ante todo práctico, he eludido ciertas nociones difíciles de asimilar para nuestros espíritus occidentales, y me he limitado a los diagramas y técnicas que en mi opinión proporcionan los mejores resultados, reconciliando sencillez y eficacia. En este sentido se han vuelto a dibujar algunos diagramas, y he creado otros a fin de aclarar y simplificar el trabajo de memorización.

La práctica del Dien' Cham'

Este libro tiene como objetivo permitirte la puesta en práctica inmediata del Dien' Cham' sin que sea necesario seguir una formación complementaria específica. Mi primer libro me demostró, gracias a las reacciones y comentarios de mis lectores, que había logrado mi objetivo: he recibido múltiples testimonios de éxito en los tratamientos emprendidos por personas no terapeutas, lo que me llena de alegría. En cuanto a los terapeutas, su satisfacción es un motivo de regocijo. Sin embargo, faltaban elementos y precisiones útiles que se hicieron evidentes a lo largo de mis muchos años de práctica, cursos y conferencias. Asimismo, algunos puntos fueron objeto de innumerables preguntas por parte de mis lectores. Los he añadido en esta obra, que de este modo se convierte en un auténtico curso a domicilio. Por supuesto, la simple lectura de un libro no puede sustituir a la experiencia en directo; es lo único que lamento. En mis sesiones también tengo la costumbre de ofrecer una rápida demostración de la estimulación facial: así, la persona podrá practicar de inmediato y con eficacia... y podrá enseñar a otros. Mucha gente que duda a la hora de lanzarse sola a la aventura me pide que organice cursos prácticos. Como el método está descrito detalladamente en este libro, un manual básico de Dien' Cham' y de reflexología facial, los cursos apenas duran un fin de semana: lo esencial es practicar correctamente los diversos modos de estimulación. Los participantes se limitan a un número restringido, lo que permite a cada uno recibir varios tratamientos. También imparto formación a terapeutas (médicos, quinesiólogos, osteópatas, reflexólogos, enfermeras...) que desean aliviar eficazmente a sus pacientes, en uno o dos minutos, sin que ello contradiga los otros tratamientos. ¡No puedo sino alegrarme!

¿Qué podemos esperar del Dien' Cham'?

Años de práctica personal me han permitido comprobar la extraordinaria eficacia de esta técnica reflexológica. ¡Cuántas veces, en el transcurso de seminarios dedicados a la salud o en las demostraciones que acompañan a mis conferencias y cursos, he tenido ocasión de aliviar con unas pocas presiones de bolígrafo a personas que padecían dolores diversos, a veces desde hacía años, para sorpresa general de los asistentes! Resulta evidente que en un gran número de dolencias comunes y sobre todo en el caso de los dolores –incluidos los crónicos–, los resultados no sólo son satisfactorios sino con frecuencia espectaculares, por no decir "mágicos", sobre todo para los que sufren, a veces desde hace mucho, y han probado sin éxito todo tipo de métodos.

Un ejemplo: en mis conferencias siempre pregunto si alguien en la sala padece una periartritis escápulo-humeral o una epicondolitis del codo. Estas dos patologías, que en el mejor de los casos apenas alivian los corticoides, a veces persisten durante años, arruinando la vida de quienes las padecen. Ahora bien, en ocasiones bastan sólo **dos minutos** de masaje reflejo en el rostro para obtener el alivio largamente anhelado. ¡Imaginaos el entusiasmo de la sala ante el asombro de las personas aliviadas de un modo tan rápido y sencillo! ¡Efecto asegurado!

¿El resultado es definitivo? Sí, en ciertos casos leves. Y a veces también en determinados casos crónicos, en los que la estimulación de ciertos puntos reflejos bien escogidos a menudo basta para obtener una sedación definitiva de los síntomas. Por poner un ejemplo, éste es el caso de un dolor lumbar (debido al cansancio o a una mala posición), de un dolor de cabeza (originado por el cansancio, las preocupaciones, una mala digestión...) o un resfriado (por un enfriamiento o alergia...). En algunos casos crónicos se necesitan unas cuantas sesiones que a veces se prolongan durante un tiempo, pero no es lo más frecuente. En los dos casos citados anteriormente, bastó una sola sesión aun después de años de sufrimiento crónico. A pesar de todo, suelo aconsejar a esas personas que practiquen la sesión sobre sí mismos unas cuatro o cinco veces al día hasta completar la definitiva sedación del dolor. En la mayoría de las ocasiones los resultados se hacen evidentes a los dos o tres días.

Es necesario tener presente que la ventaja primordial de este método reside en la posibilidad de aprender a curarnos a nosotros mismos. También hay que comprender que existen otros factores susceptibles de afectar a la salud: así, si descuidas la alimentación, la respiración, el ambiente doméstico, si te expones a la contaminación de todo tipo, si sucumbes a las preocupaciones, si permites que tus emociones te desequilibren o no tienes en cuenta el cansancio físico y psíquico, es normal que en estos casos reaparezca el dolor y persista el problema, al margen del tratamiento elegido. No existe el método milagroso que nos preserve de la enfermedad si no atendemos a esos factores medioambientales.

Ten en cuenta que cualquier otro tratamiento es compatible con la reflexología facial. Nada te impide seguir un tratamiento alopático o cualquier otro, recurrir a la medicina naturista o practicar otros métodos (acupuntura, Chi-Kong, reiki, magnetismo...) si lo consideras oportuno. La gran ventaja que presenta la reflexología facial es la de aliviar instantáneamente todo dolor, en cualquier momento y lugar, con la simple ayuda de los dedos o la punta redonda de un bolígrafo, que puedes aplicar en ti mismo o en alguien cercano. Si lo practicas desde la aparición de los primeros síntomas, evitarás que el dolor se vuelva permanente o se agrave y eludirás los servicios de un médico o los medicamentos. Por lo tanto, lo mejor es arrancar el mal de cuajo y deshacerse de él cuanto antes.

¿Qué puede aliviar la reflexología facial?

No se trata de establecer aquí una lista exhaustiva de todas las posibilidades, sino de ofrecer una idea aproximada de lo que podemos esperar:

— *Problemas de espalda, articulaciones y músculos*: dolores lumbares, cervicales, hombros, rodillas, columna vertebral, brazos, piernas, manos, dedos, pies, tobillos, artrosis, reumatismos, poliartritis, esguinces, ciáticas, lumbago, etc.
— *Problemas sexuales, genitales y hormonales*: trastornos menstruales (menstruación dolorosa, excesiva o insuficiente), amenorreas, leucorrea, vaginitis, prostatitis, esterilidad, contracepción,

impotencia, frigidez, relaciones sexuales dolorosas, eyaculación precoz, menopausia, premenopausia, sofocos, sequedad vaginal, ptosis uterina, fibroma, quiste ovárico, mastitis, lactancia, hipotiroidismo o hipertiroidismo, etc.

— *Problemas de la piel*: inflamaciones diversas, acné, prurito, eccema, soriasis, quemaduras, zona, urticaria, alergias, etc.
— *Trastornos digestivos, de asimilación y evacuación*: colitis, gastritis, diabetes, estreñimiento, diarrea, hepatitis, cálculos biliares y renales, retención de líquidos, obesidad, celulitis, migrañas, etc.
— *Trastornos del sistema nervioso*: depresión nerviosa, insomnio, ansiedad, irritabilidad, nervios o hiperactividad en los niños, apatía, fatiga crónica, dolor de cabeza, mareo, etc.
— *Trastornos de la circulación*: mala circulación, varices, hipotensión o hipertensión, vértigos, problemas de concentración, mareos diversos, etc.
— *Trastornos respiratorios*: bronquitis, asma, sinusitis, catarros, etc.
— *Algunos casos especiales y crónicos*: enfermedad de Parkinson, ciertos tumores, hemiplejia, parálisis, parestesias, etc.
— *Otros*: visión defectuosa, pérdida de audición, dolor de garganta, etc.

En todos los casos enumerados, así como en el alivio de diversas inflamaciones, sobre todo si el problema es reciente y el paciente no ha agotado toda su energía, los resultados suelen ser excelentes. En los casos de enfermedad crónica, es posible que los síntomas reaparezcan más tarde, en cuanto el paciente deje de tratarse. Por lo tanto, este método se dirige sobre todo a los propios enfermos: son ellos quienes sabrán mejor en qué momento necesitan una nueva sesión; es preferible tratar un síntoma desde su aparición, sin esperar. En cuanto a las situaciones graves o complejas, o en el caso de enfermedades psicosomáticas, los resultados son limitados y moderados, y precisan de un tratamiento a largo plazo, en combinación con otros métodos terapéuticos.

Un caso especial: el cáncer

Se han comprobado resultados esperanzadores en ciertos tipos de cáncer detectados en el inicio de su desarrollo. Además, este método puede contribuir a que el enfermo soporte mejor los efectos secundarios de la quimioterapia y otros tratamientos dolorosos estimulando las defensas del sistema inmunitario, eliminando el cansancio, aliviando los dolores y otros síntomas desagradables, así como calmando la angustia para mejorar el descanso y una buena circulación de la energía. Los efectos secundarios generados por la quimioterapia son tales que, de hecho, muy a menudo los enfermos se muestran incapaces de reaccionar. Bajo la impresión de la noticia de su enfermedad y creyéndose condenados, en realidad se dejan literalmente morir de desesperación. Por el contrario, si procuramos el bienestar del enfermo empezando por eliminar los efectos secundarios de su tratamiento, puede renacer una cierta confianza que le impulse a reaccionar, a cultivar pensamientos más positivos y lo decida a vencer la enfermedad, recurriendo, junto a su tratamiento, a medios más naturales. ¡Hay que alentar la esperanza!
Los enfermos graves no tienen nada que perder y todo por ganar con semejante combinación de terapias.

Importante advertencia

Es esencial que tengamos presente que este libro trata exclusivamente sobre la REFLEXOLOGÍA, y no sobre acupuntura, que está reservada a los practicantes veteranos. En el rostro hay puntos cuya punción es mortal. No juegues al aprendiz de mago y conténtate con simples estimulaciones reflejas, que no te harán correr riesgo alguno.

1 Las bases teóricas del Dien' Cham'

Este método consiste en estimular los puntos reflejos del rostro, empleando como utensilio principal... la punta redondeada de un bolígrafo. En menos de lo que se tarda en escribirlo, tus dolores desaparecerán como por ensalmo. Es simple, eficaz y espectacular.

Para comprender mejor este método en apariencia extraño es útil e interesante demorarse un poco en los principios básicos que han regido su elaboración, de los que he ofrecido un breve resumen en el capítulo anterior.

Acupuntura y facioterapia

Los vínculos con la acupuntura son evidentes, sobre todo en los albores de la facioterapia: empleo de agujas y moxas, junto a instrumentos más específicos como diversos rodillos, un pequeño martillo de caucho, la "flor de ciruelo", etc. No obstante, pronto se alejó de ella y sustituyó estas técnicas por otras muy distintas; así, las moxas empleadas en facioterapia son mucho más pequeñas, más semejantes a un cigarrillo que a las moxas tradicionales.

Respecto a los puntos, la facioterapia recurre a más de quinientos frente a los treinta de la acupuntura. Algunos de ellos son idénticos en ambos sistemas.

Además, cada punto reflejo del rostro también se corresponde con uno o varios de acupuntura en el meridiano adecuado (así, los puntos 50 y 233 corresponden al meridiano del hígado, etc.), según unas reglas muy precisas.

Reflexología y facioterapia

La reflexología y el masaje reflejo en las plantas de los pies son de sobra conocidos. Existen numerosos métodos de diagnóstico y terapia basados en la reflexología: iridología, reflexología plantar, endonasal, vertebral, la acupuntura facial de la medicina china, etc. He de subrayar, sin embargo, que todas estas reflexologías guardan poca relación con la facioterapia y sus fundamentos extraídos de la filosofía oriental. Como señala el propio profesor Bui Quoc Chau, mientras que la reflexología clásica es unidireccional (un órgano – una zona refleja), la facioterapia es multidireccional y multisistema. Eso le confiere una riqueza única.

Una medicina procedente de antiguas tradiciones

A muchas personas les sorprende que en nuestra época aún sea posible interesarse por las ideas "trasnochadas" que representan las medicinas tradicionales. Sin embargo, parece evidente que, si nuestros antepasados sobrevivieron sin la ciencia médica moderna, si nos han permitido existir en este siglo, aquí y ahora (a mí, que escribo este libro, y a vosotros, que lo leéis), es porque poseían y empleaban conocimientos eficaces que no sólo les permitieron sobrevivir sino también evolucionar y transmitir su saber, rico en experiencias milenarias.

Tomarse esto a la ligera y convertirlo en motivo de burla es una de las aberraciones propias de nuestro mundo moderno, tan orgulloso de su propia ciencia, basada en la hipertrofia de las facultades intelectuales que niegan cualquier otra capacidad. Y, sin embargo, la sabiduría quiere que escuchemos lo que los antiguos tienen que transmitirnos, como ocurrió a lo largo de los milenos precedentes...; esto es lo que hizo el profesor Bui Quoc Chau y de ahí la razón de su éxito.

Los principios básicos

Existen unas ideas-fuerza que han servido de punto de apoyo en la estructuración del método. Sin demorarnos mucho en ellas, lo que nos llevaría muy lejos, una mínima comprensión de las principales líneas directrices facilitará su aplicación y nos permitirá memorizarlas más fácilmente.

Principio de correspondencia de forma

La mayor parte de los diagramas del rostro se basan en este principio. Bui Quoc Chau señala que se basa en el adagio: *"Lo que se parece se congrega"*, mencionado en el *I-Ching*. Esto también significa que *"lo que reviste la misma forma se parece y se corresponde"*. Ya hemos contado cómo se estableció la analogía entre, por ejemplo, el caballete de la nariz y la columna vertebral, la forma de las fosas nasales y la de las nalgas, etc.

> *Cuando el flamenco canta, en algún lugar en la sombra, a lo lejos, canta otro flamenco.*
>
> I-Ching

Principio de correspondencia de naturaleza

A continuación, el principio de *correspondencia de forma* se ampliará con un principio de aplicaciones más generales en numerosos ámbitos (volvemos a nuestra filosofía hermética). Se trata del principio de *correspondencia de naturaleza,* mediante el que comprobamos que los elementos de una misma naturaleza se asocian con facilidad. Por ejemplo, los puntos 8 y 106, de la misma naturaleza, pueden vincularse provechosamente. Sin embargo, estas ideas complejas no te serán muy útiles en la práctica cotidiana, que es el objetivo de este libro. Por lo tanto, las legaremos a los especialistas.

Tomemos un ejemplo que ilustra este principio de una manera concreta: el *cuello* une el cuerpo a la cabeza. Lo mismo ocurre con la *muñeca*, que une la mano y el antebrazo, así como el *tobillo* une la pierna y el pie. En vietnamita, las partes del cuerpo que aseguran el vínculo entre otras dos se designan con la misma palabra: *co*. Así, el cuello se nombra *cai co*, la muñeca *co tay* y el tobillo *co chan*. Según el principio de correspondencia, se considera que el nacimiento de la nariz (situado entre las cejas y los ojos) es de la misma naturaleza (*co*), porque une la frente y la nariz. Obviamente, se desbloquean las cervicales y se cura la garganta estimulando esta zona refleja, aunque se obtiene el mismo resultado masajeando los tobillos y las muñecas.

Principio de homogeneidad

Este principio establece un vínculo entre las partes enfermas del cuerpo, sus funciones y su manifestación en el rostro bajo la forma de puntos "blandos", es decir, que presentan una escasa consistencia fácil de comprobar al tacto y, en ocasiones, incluso visualmente. El número de los puntos reflejos "blandos" y su grado de blandura también son indicadores de la gravedad de la enfermedad o el desequilibrio.

Principio de simetría

Según este principio, las partes del cuerpo situadas en el lado derecho se encuentran en la parte derecha del rostro, y lo mismo ocurre con el lado izquierdo. Hay una excepción a esta regla respecto a algunos puntos emplazados en la frente, que son inversos. Por tanto, existe un esquema de correspondencia frente-órganos internos.

Principio de interconexión

En el universo todo es interdependiente. Lo mismo ocurre en el cuerpo humano. ¿Padeces de migraña? Controla el estado del hígado o la vesícula biliar. ¿Te aquejan frecuentes dolores de garganta? Comprueba el estado de tus intestinos, etc.

El principio de interconexión entre los puntos – órganos – funciones – zonas reflejas – partes del cuerpo... gobierna toda la reflexología. Esto es tanto más cierto en el ámbito de la reflexología facial, en el que la situación del rostro es privilegiada en relación con el resto del cuerpo en razón de su proximidad al cerebro. El rostro está, así, profusamente inervado e irrigado. Por esta razón puede expresar toda la gama de los sentimientos, lo que no puede hacer ninguna otra parte del cuerpo. En cuanto al cuello, establece la conexión del cuerpo con la cabeza. Todo se encuentra concentrado en ese "puente", pasaje obligado para la circulación sanguínea y el flujo nervioso. También hay meridianos que convergen o parten de esa región, en especial los meridianos yang.

Por lo tanto, no ha de sorprendernos encontrar ahí semejante densidad de zonas y puntos reflejos extremadamente sensibles a las señales emitidas por los órganos y las diversas partes del cuerpo. Asimismo, su respuesta a la estimulación se transmite rápidamente a la parte afectada del cuerpo, lo que demuestra la eficacia del método.

Principio del efecto inverso

Según el tipo de enfermedad, cada punto de acupuntura requiere de una duración, una frecuencia y una intensidad de estimulación bien definidas. Si no lo tenemos en cuenta y la estimulación es insuficiente, no obtendremos los resultados perseguidos.

A la inversa, si la estimulación es demasiado grande y duradera (es decir, si se prolonga más allá de lo necesario), no se producirá ningún resultado o, lo que es peor, podemos obtener el efecto inverso y comprobar cómo empeora la situación.

Para evitar este riesgo, hay una regla muy sencilla: estimular brevemente los puntos no dolorosos y dejar de estimular una zona o punto cuya sensibilidad hemos perdido. Puesto que las sesiones que te propongo serán muy breves, tienes pocas oportunidades de que se presente este problema.

Principio del punto no doloroso

Esta teoría permite la localización exacta de los puntos en el rostro. También se ha inspirado en un célebre adagio del *I-Ching,* que dice lo siguiente:

"En el tang está el yin; en el yin está el yang".

La extrapolación en términos de acupuntura facial llevó a la comprobación de que "en la zona o punto doloroso, hay un punto no doloroso". La experiencia clínica, renovada de múltiples formas y gracias a muchos terapeutas, ha demostrado la veracidad de esta fórmula con resultados concluyentes. De este modo se localizó el punto 1 (situado en el caballete de la nariz), el primero de una larga serie de más de quinientos (he de señalar que la numeración de los puntos corresponde al orden en el que fueron descubiertos, sin otra implicación).

Este principio también se aplicó a la localización de otros puntos y zonas de correspondencia del cuerpo sobre el rostro. Como lo expresa bellamente el profesor Bui Quoc Chau: "Estos principios han sido como la varita mágica o la llave maravillosa que me han ayudado a abrir la puerta al misterio del cuerpo humano".

Hay muchos otros principios, como el del triángulo o el poéticamente descrito como "el agua que va al río". Pero esas nociones complejas no te serán indispensables para la práctica del Dien' Cham'.

La facioterapia no se presenta, pues, como un producto puro de la medicina, sino más bien como una síntesis de muchas disciplinas: "Hija espiritual de la civilización vietnamita, con sus típicos rasgos de síntesis, eclecticismo y término medio..." (Bui Quoc Chau).

El rostro, espejo del cuerpo

Si el ser humano es un microcosmos del universo, cada una de sus partes también lo es en sí misma: se trata de una concepción holográfica. Nuestro rostro, como parte de nosotros mismos, nos simboliza y representa el conjunto de nuestro ser. Así, todo lo que somos se proyecta en nuestro rostro y en especial nuestro estado fisiológico, psicológico y aun patológico. De ahí el efecto "espejo" que se encuentra en la base de toda reflexología, que evidencia la relación sutil entre el órgano y su zona de correspondencia, en este caso un punto del rostro.

El Dien' Cham' consiste, entonces, en la estimulación de esas zonas reflejas fácilmente localizables. Mediante este procedimiento reactivamos la energía y la hacemos circular, lo que permite a los órganos recuperar naturalmente y sin riesgo alguno su vitalidad y funcionamiento óptimo.

¡Un *lifting* natural!

Como beneficio secundario nada desdeñable, esta estimulación, practicada con regularidad, mejora la circulación local, lo que en primer lugar borra las arrugas y rejuvenece el rostro: ¡un verdadero lifting *natural!*

A un tiempo curativo y preventivo, este método mantiene la salud dinamizando las funciones primordiales del cuerpo. Asimismo, refuerza las defensas inmunitarias, lo que permite que el organismo gestione su autocuración.

Es de destacar el aspecto económico de la terapia, que te puede resultar de gran ayuda si la practicas en ti mismo o en tus seres queridos, pero que también te permitirá ayudar a una persona con problemas en la calle o en el lugar de trabajo, en caso de accidente y mientras llega el auxilio médico.

Si ya eres terapeuta, la reflexología facial puede ser de gran utilidad al permitirte proporcionar a tu paciente una ayuda inmediata y nada despreciable. Piensa que un paciente que acuda a tu consulta doblegado por un dolor de lumbago podrá marcharse... erguido, gracias a unas cuantas punciones con un bolígrafo o un rodillo dentado especial.

He de advertir que, evidentemente, el Dien' Cham' no puede sustituir los cuidados médicos clásicos en caso de traumatismo grave o si el dolor persiste tras la estimulación. Por el contrario, combinado con otros tratamientos, el Dien' Cham' es capaz de vigorizar su efecto y contribuir eficazmente a una rápida mejoría, reforzando el sistema inmunitario y los emuntorios, lo que atenúa la eventual toxicidad de los medicamentos ingeridos. Por lo tanto, también es una terapia alternativa complementaria susceptible de aliarse con otro tipo de tratamiento.

El gran atractivo que presenta la reflexología facial es su capacidad de prevenir y aliviar muchas de las pequeñas dolencias que perturban nuestra vida y contra las que la medicina tradicional no puede hacer gran cosa salvo prescribir medicamentos cada vez más agresivos y frecuentemente tóxicos.

Resultados espectaculares

Prácticamente todo tipo de dolor, tanto reciente como crónico, se desvanece de forma inmediata gracias a unas pocas punciones de bolígrafo. Parece increíble, pero realmente funciona. La migraña desaparece como por arte de magia, al igual que el dolor de espalda, una crisis de asma o los primeros síntomas de un resfriado que abortaremos en su origen. Y si no padecemos ninguna dolencia concreta, esta técnica permite mantener un buen nivel energético y relajarse con facilidad.

¿Padeces de insomnio? Unas cuantas presiones con el bolígrafo en una zona determinada te devolverán el sueño de un bebé.

Un método aplicable en toda circunstancia

A partir de treinta puntos básicos, todo el mundo puede aprender a curar de un modo muy simple. Puesto que siempre es fácil acceder al rostro, todos los puntos pueden ser estimulados en toda circunstancia. Basta con aplicar el método cuando percibimos un dolor o un síntoma; los resultados de la estimulación son de inmediato comprobables. Está realmente al alcance de todo el mundo. Recuerdo haber tenido esta experiencia un día en el que, tras torcerme el tobillo al caminar deprisa con unos zapatos mojados, tuve el reflejo de estimular, con la articulación del pulgar, la zona correspondiente en mi rostro: no sólo el dolor desapareció enseguida, sino que acto seguido eché a correr.

También para las patologías graves

Este método no comporta peligro alguno. Para la estimulación, empleamos simplemente un bolígrafo o los dedos de la mano, nunca agujas.

No creas que la sencillez de los medios y su aspecto inofensivo reservan su uso sólo para los dolores leves: nada de eso. Es completamente plausible, y aun recomendable, tratar también las enfermedades graves, como complemento a los tratamientos clásicos. La condición necesaria, sin embargo, es que la persona se haga cargo de sí misma (o un allegado en caso de invalidez), para que no se vuelva dependiente del terapeuta.

Si es recomendable e incluso indispensable que al principio reciba la atención de un terapeuta competente, a continuación es preferible que aprenda a tratarse a sí misma. Sólo esta autonomía permite aplicar el tratamiento con la frecuencia necesaria: en algunos casos, muchas veces al día. La estimulación de los puntos distiende el sistema nervioso, hace fluir las energías y dinamiza las funciones orgánicas, lo que abre la puerta a la autocuración. Únicamente las sesiones regulares permiten obtener estos resultados.

Diagnóstico y Dien' Cham'

Como norma general, cuando un paciente acude a la consulta de un médico o terapeuta, este último comienza formulando un diagnóstico antes de establecer un tratamiento. Lo mismo ocurre en la reflexología facial: al buscar los puntos sensibles o, por el contrario, los "mudos", es decir, anormalmente insensibles, un terapeuta avezado también es capaz de formular un diagnóstico. Sin embargo, hay que tener en cuenta que, como cada punto del rostro rige diversos órganos y funciones, ese diagnóstico no siempre es fácil. Si nos basamos tan sólo en los puntos sensibles corremos el riesgo de equivocarnos.

También recomiendo al practicante no médico que evite caer en esa trampa y deje a los especialistas la tarea del diagnóstico según los métodos habituales (por otra parte, la ley francesa sólo reserva ese derecho a los médicos).

Si te interesa, limítate al reconocimiento rápido que se describe en la primera parte de este libro. No es necesario hacerlo para practicar el Dien' Cham': en la mayoría de los casos basta con estimular todos los puntos sensibles detectados para obtener un buen resultado.

La génesis de las enfermedades

Podemos afirmar sin temor a equivocarnos que todas las enfermedades, independientemente de su naturaleza, tienen su origen en un debilitamiento del sistema nervioso. Por esa razón el principio esencial es procurar la relajación. Se trata de una noción primordial en medicina china y también en el Dien' Cham'.

En el origen de toda enfermedad: el sistema nervioso

Falta de sueño, agotamiento, estrés permanente o reiterado, actividad física insuficiente, tristeza, depresión, *shocks* emocionales, soledad moral o afectiva, todos estos elementos tan conocidos constituyen el caldo de cultivo de la enfermedad al debilitar nuestro sistema inmunitario. Cuando esas defensas bajan la guardia, la energía decae y el cuerpo deja de ser capaz de imponer barreras a las diversas agresiones por parte de los virus y bacterias omnipresentes en el propio organismo y en su entorno: la enfermedad tiene carta blanca para hacer su aparición, generalmente en el lugar más debilitado.

Un problema de estancamiento de la energía

Hay que tener en cuenta que la enfermedad también puede sobrevenir como consecuencia de un estancamiento de la energía. En todos los casos es importante mantener un buen nivel energético en el organismo, ya que en ello reside la mejor prevención.

Cuando el organismo se debilita, el esquema es el mismo en la mayoría de los casos: al principio se "coge" un resfriado o unas agujetas que atribuimos al frío, lo que demuestra que la energía orgánica sufre un bloqueo.

A partir de esa comprobación, el remedio es muy sencillo y hay que aplicarlo sin esperar a que la situación se agrave: consiste en estimular los puntos de relajación y tonificación, los puntos correspondientes a los órganos o funciones alterados.[1] Una vez relajado el sistema nervioso, la energía comienza a fluir más libremente, los órganos se fortalecen y el organismo vuelve a ser capaz de gestionar su propia curación, lo que provoca una instantánea desaparición del dolor y las enfermedades.

Esta idea es obvia en la medicina china, que considera que el sufrimiento se debe siempre a un bloqueo de las energías que es necesario liberar para que el dolor desaparezca. Por ello no es necesario tratar directamente el órgano alterado, porque la enfermedad, aunque sea orgánica, se debe siempre a un problema de flujo energético en el órgano afectado. Hay que ocuparse, pues, del conjunto. Para ello, la medicina china restablece el equilibrio energético gracias a la acupuntura, la alimentación, la naturopatía, la respiración... Con la reflexología facial se obtiene el mismo resultado, pero mucho más fácilmente y sin pasar por el verdadero rompecabezas que, para el no iniciado, representa la medicina china.

Por lo tanto, será preferible llevar a cabo el procedimiento descrito en el siguiente capítulo, porque todo resulta más fácil cuando el cuerpo se halla relajado y tonificado.

Asimismo, hay que tener presente que, aunque cada punto del rostro se corresponda con muchos órganos y funciones, sólo reaccionarán aquellos que se hayan visto afectados.

Curar eficazmente es muy sencillo. Basta con relajar el sistema nervioso, reactivar la energía y estimular las defensas inmunitarias; la naturaleza hace el resto.

1. Véase la sesión básica descrita anteriormente.

Un ejemplo: el dolor de espalda

El dolor de espalda, tan frecuente en nuestros días, se puede aliviar con unas cuantas punciones de bolígrafo cuyo resultado será duradero, siempre y cuando la persona concernida se haga responsable y prosiga ella misma con las estimulaciones.

Si el dolor es reciente, el alivio obtenido tal vez sea definitivo tras la primera sesión. Por el contrario, en el caso de que se manifieste desde hace años, serán necesarias muchas sesiones practicadas con regularidad: entonces es preferible que el enfermo aprenda la técnica para tratarse a sí mismo en cuanto reaparezca el dolor. El de espalda evidencia un bloqueo de la energía; hazla fluir de nuevo y el dolor desaparecerá: es tan simple como eso. Además, cuanto más estimulamos, más se regenera el organismo. Se pueden aplicar varias sesiones al día hasta la desaparición del trastorno o dolor. Una vez que todo ha vuelto a su cauce es mejor continuar practicando, preventivamente, una sesión cotidiana.

2 Zonas y puntos reflejos: principales diagramas

El rostro: un sistema complejo

Si practicas, al menos ocasionalmente, la reflexología plantar, es probable que te sorprenda que hable en plural. En general, las otras reflexologías sólo proponen un único esquema de proyección del cuerpo y de los órganos internos en una región determinada (ejemplo: las zonas reflejas del pie, de la mano, la oreja, etc.). En el caso de la reflexología facial, es diferente. Como he señalado, su característica definitoria es la multidireccionalidad y el empleo de muchos sistemas.

El rostro podría compararse a una especie de milhojas (ya sabes, ese pastel formado por varias capas de pasta hojaldrada). En él encontramos muchos sistemas de proyección compatibles entre sí. En la actualidad, el profesor Bui Quoc Chau ha establecido veintidós diagramas de proyección del cuerpo en el rostro. Pero tranquilo, sólo consideraremos unos cuantos, a los que he añadido algunas figuras destinadas a simplificar tu estudio retomando cierta información que formaba parte de los diagramas originales.

No grites: "¡Es demasiado complicado! ¡Me perderé!". En absoluto: como comprobarás, hay una suerte de lógica interna inherente al sistema que otorga coherencia al conjunto. Te bastará con seguirme paso a paso y todo irá bien: eludirás las complejidades en un santiamén.

Por supuesto, de todo ello se deriva que cada punto y zona refleja tienen múltiples correspondencias. Si, por ejemplo, quieres estimular el hígado en la reflexología plantar, te concentras en la zona del hígado, situada en un lugar preciso de la palma de la mano derecha. En el Dien' Cham' encontrarás muchas zonas y puntos de correspondencia.

Esto puede suscitar algunas preguntas que tal vez te plantees en uno u otro momento:

¿Cómo saber qué zona o punto estimular?

Es muy fácil: los más sensibles. Si todos lo son, has de estimularlos todos. Pero normalmente sólo encontrarás uno o varios que reaccionen positivamente: ese día ése es el más activo. Sin embargo, has de saber que en sesiones posteriores es muy probable que los otros puntos, desechados el día anterior, tomen el relevo. No te empeñes en un punto o zona pensando: "Es el que me conviene". Eso es cierto en ese momento, nada más.

Hay una gran ventaja en esta multiplicidad de correspondencias: si tienes un grano o alguna lesión epitelial –justo en la zona de correspondencia que te interesa–, no hay problema: puedes elegir entre muchas otras. No hay excusas para no celebrar tu sesión.

Ese punto parece corresponder a mis síntomas, pero algunas de sus indicaciones no me convienen. ¿Qué hacer en este caso?

Esto es algo que puede ocurrir, y de hecho es bastante frecuente. Entre las numerosas indicaciones de cada punto es probable que muchas de ellas no se adapten a tu caso.

Por ejemplo, presentas un trastorno del hígado y parece que el punto 233 te conviene. Sin embargo entre sus indicaciones también aparecen "hemorroides" (que no tienes) y "transpiración excesiva" (cuando sabes que no sudas fácilmente). ¿Qué hacer entonces? Pues bien, si el punto es levemente doloroso, simplemente estimúlalo. Una debilidad hepática puede provocar semejantes síntomas, pero es el organismo el que procede a la autocuración y el que regula la energía liberada de ese modo.

Con este ejemplo comprenderás la simplicidad del método pese a su aparente complejidad: tu trabajo consiste tan sólo en liberar la energía bloqueada en determinadas zonas o puntos: el organismo hará el resto. Desde el momento en que respetes las reglas básicas, muy simples, no corres el riesgo de complicaciones ni falsos movimientos. Hay muy pocas contraindicaciones en el Dien' Cham', y éstas serán señaladas en el momento oportuno. Por lo tanto, no dudes: inténtalo.

***

Hay muchos métodos para utilizar la reflexología facial: la punción de puntos o el masaje de las zonas correspondientes en función de las cartografías empleadas, también llamadas diagramas. Generalmente se emplean ambos de manera complementaria. Una práctica completa del Dien' Cham' implica tener en cuenta simultáneamente los diferentes diagramas de proyección del cuerpo en el rostro que permiten la localización de los puntos reflejos.

Para algunos (quienes poseen una mayor memoria visual) será más fácil, al menos al principio, memorizar alguno de los diagramas que representan la proyección del cuerpo o de algunas de sus partes en el rostro. Nosotros nos limitaremos a los principales.

En la práctica, empieza por conocer bien y practicar un solo diagrama cada vez; si no, lo mezclaremos todo. Sin embargo, tranquilo, pues no puede ocurrir nada grave, salvo una relativa ausencia de resultados.

Emplea la analogía

En mis cursos enseño un método muy simple que permite memorizar rápidamente y sin esfuerzo los distintos diagramas.

Para ser capaces de practicar el Dien' Cham' en cualquier circunstancia, hemos de conocer de memoria las principales zonas y puntos reflejos que puedan sernos de ayuda. Para ello hay un "truco": la analogía. Su uso frecuente te permitirá una excelente práctica de la reflexología facial sin tener que llevar este libro a todas partes. Gracias a ella, no tendrás que sobrecargar la memoria ni dudar continuamente: bastará con que te remitas a tu propio cuerpo para rememorar las principales correspondencias que te sean necesarias.

Excepción: sólo el diagrama que resume los diversos puntos escapa a esta regla: no trates de aprenderlo de memoria, no serviría de nada. Los puntos señalados en él se encuentran ubicados sin obedecer a un orden concreto. Aprenderás esos puntos poco a poco, con la práctica.

Regla básica número 1

No hay inversión, o al menos sólo excepcionalmente (lo comentaré en el momento oportuno):
— mitad derecha del rostro = mitad derecha del cuerpo
— mitad izquierda del rostro = mitad izquierda del cuerpo

Diagrama 1. Proyección de los puntos reflejos en el rostro

Representados en los **diagramas 1a y 1b** (págs. 89 y 90), estos puntos están numerados del 0 al 560. Sin embargo, como puedes comprobar, en realidad en esta figura sólo hay... 57 puntos.

¿A qué se debe? A que, entre los cientos de puntos descubiertos por el profesor Bui Quoc Chau, he optado por conservar la numeración establecida por él, a fin de evitar la confusión entre los dos sistemas. No busques, pues, los puntos que faltan: no los encontrarás.

Tampoco busques una proximidad entre los puntos cuyos números son consecutivos: no existe. El profesor Bui Quoc Chau sencillamente llamó número 1 al punto cuyas propiedades y correspondencias fueron demostradas en primer lugar; a continuación el 2 al siguiente, etc.

En el Dien' Cham' sólo se han conservado los puntos principales en aras de la simplificación. Imagínate una figura sembrada de 600 puntos comparada a la que aquí se ofrece, que ya ha de parecer bastante hermética.

La plantilla imaginaria

Esta plantilla permite situar los puntos reflejos con precisión. En su gran mayoría se encuentran en la intersección de una línea horizontal y una vertical. Es importante conocerla bien. No ha de inquietarte trabajar con rostros de morfología diferente: alargados, macizos, delgados, gruesos, etc.: esta plantilla se basa en las constantes del rostro y se adapta perfectamente a cada uno de ellos.

Observación: algunos puntos no se apoyan en ninguna línea de la plantilla, como los ubicados en las sienes y alrededor de la nariz. Como son fáciles de situar observando la figura 1b, me ha parecido inútil sobrecargar la plantilla sólo por algunos puntos.

Las líneas verticales

A partir de la línea central que divide el rostro en dos partes iguales, derecha e izquierda, las líneas verticales se determinan en función de los **ojos** (y sólo de los ojos). Por ello, pide a la persona con la que trabajas que alce la mirada.

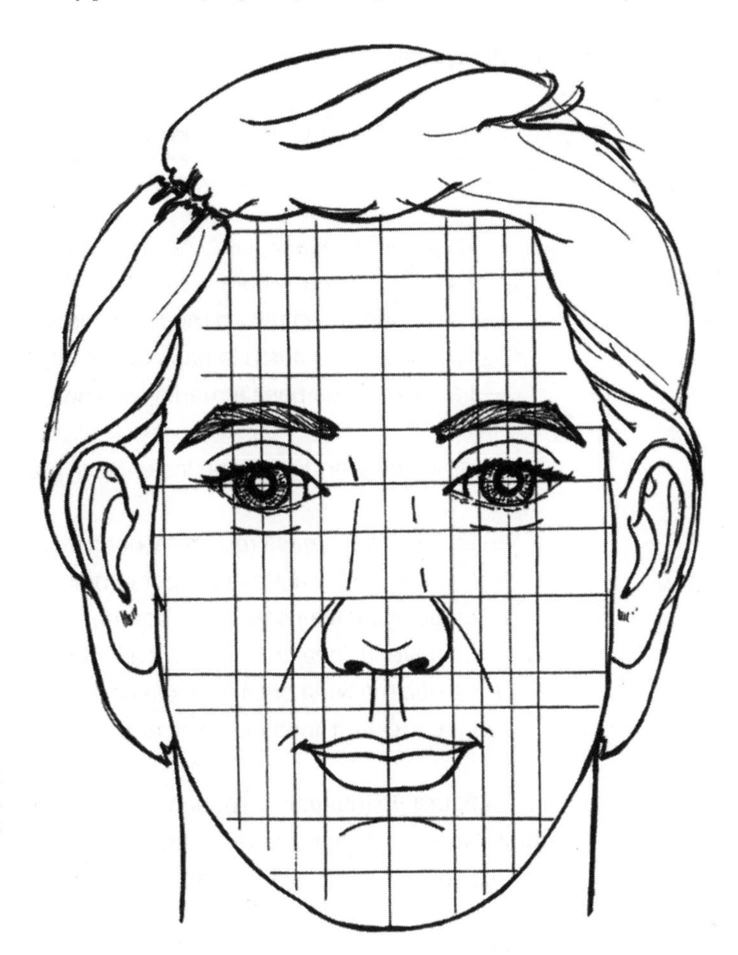

Figura 8
Esquema virgen (fotocópialo para tu uso personal)

— La primera línea separa el rostro en dos mitades iguales, atravesando el caballete de la nariz.
— La segunda línea –tanto a derecha como a izquierda– pasa por el rabillo interno del ojo.
— La tercera línea recorre el borde interno del iris –la parte coloreada del ojo.
— La cuarta línea atraviesa el centro de la pupila.
— La quinta línea pasa por el borde externo del iris.

Las líneas horizontales

Empecemos por la frente, del cuero cabelludo a las cejas. Está dividida en cuatro partes iguales:

— La primera línea sigue el nacimiento del cabello.
— La tercera línea separa la frente en dos mitades iguales.
— La segunda línea pasa a medio camino entre la primera y la tercera.
— La quinta línea surca la base de las cejas.
— La cuarta línea pasa a medio camino entre la tercera y la quinta.

Sigamos descendiendo, de las cejas al mentón:

— La sexta línea pasa recorre el centro de la pupila.
— La séptima línea atraviesa por el borde inferior de la órbita ocular.
— La octava línea pasa por el borde superior de las fosas nasales.
— La novena línea cruza por la base de la nariz.
— La décima línea pasa a media altura del labio superior.
— La undécima línea pasa por el hoyuelo del mentón.

La **figura 9b** (diagrama 1b) permite precisar el emplazamiento de los puntos situados al margen de la plantilla, en las sienes, alrededor de la oreja, así como los que se localizan alrededor de las fosas nasales. No olvides mirarlos en tus primeros intentos. Así evitarás errores.

Ten presente que si el punto 14 se encuentra justo en la base del lóbulo auricular, el 15 se sitúa en el hueco tras la oreja.

Para más precisiones te remito al capítulo 4, en el que cada punto se estudia aisladamente: correspondencias, propiedades y localización exacta.

Sentido de la estimulación de los puntos

Observarás cómo en esta figura se indica, junto a cada punto, el sentido óptimo de la estimulación, según las indicaciones del profesor Bui Quoc Chau. Se ofrece a título indicativo y generalmente está destinado a personas con un excelente conocimiento de la técnica.

En la práctica, no es necesario que te preocupes, pues no afectará a la eficacia de tus sesiones. Seamos lógicos: para estimular el punto 34, situado en el nacimiento del arco ciliar, será más cómodo hacerlo en el

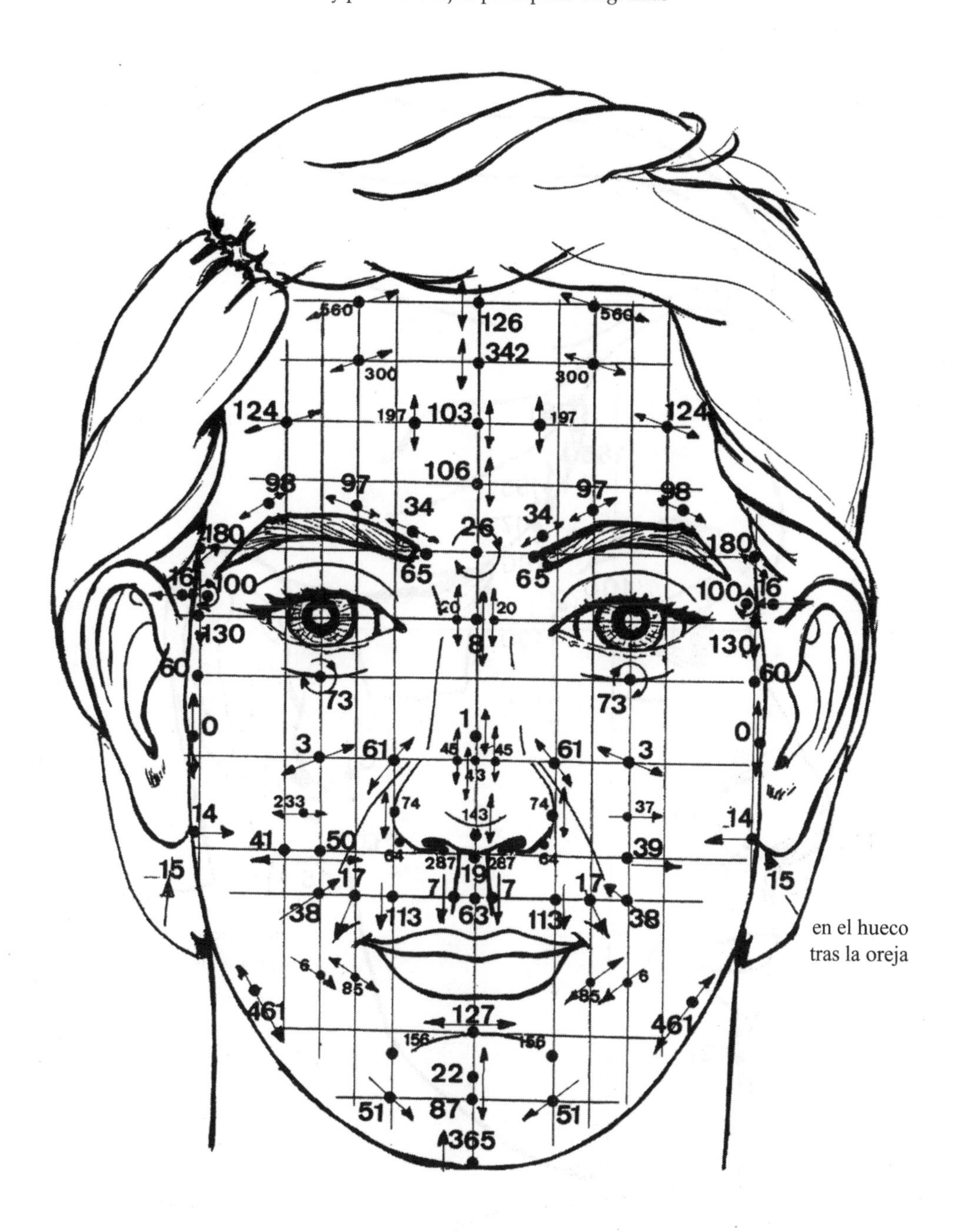

Figura 9a.
Diagrama 1a
Puntos reflejos del rostro

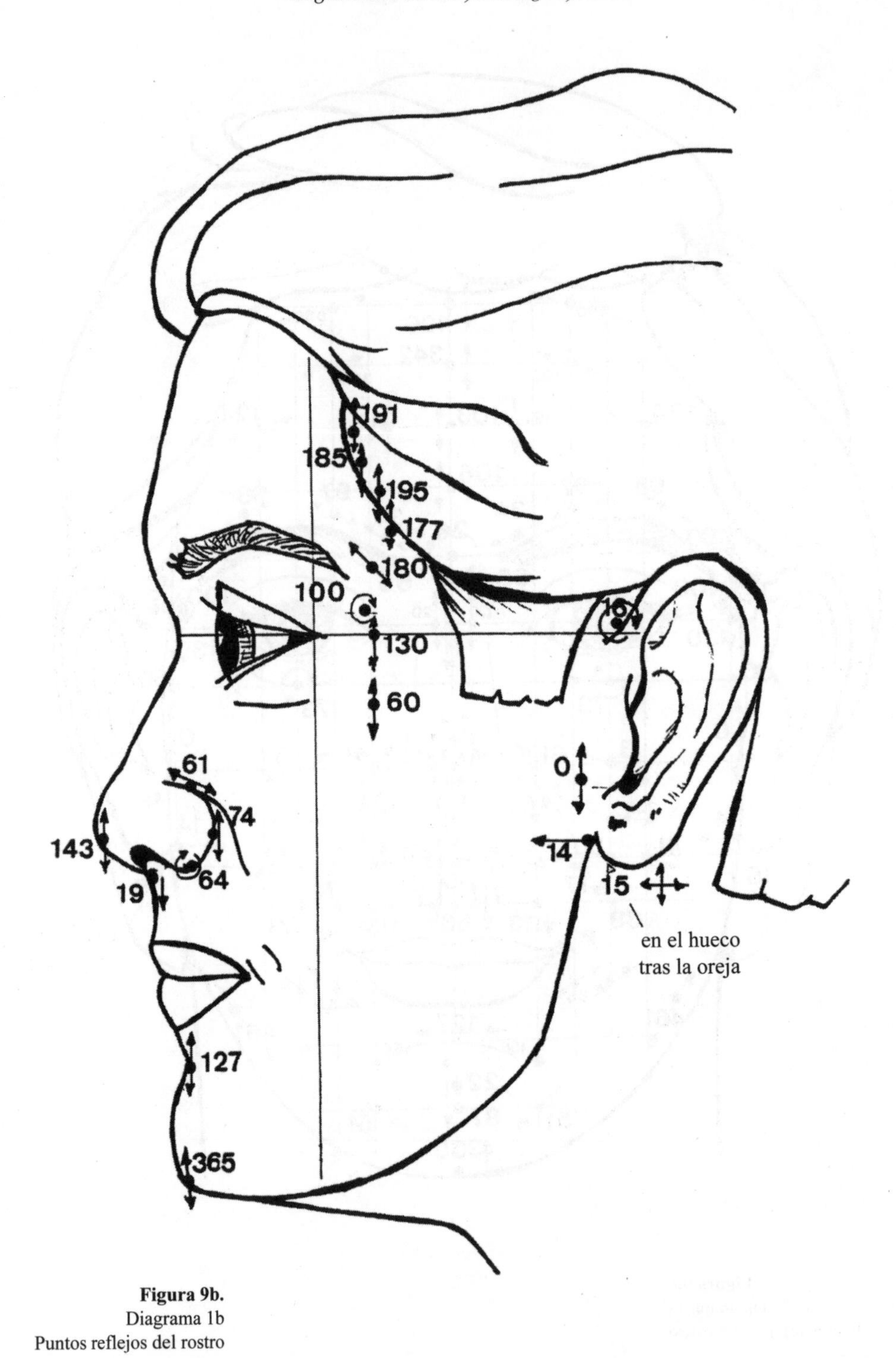

Figura 9b.
Diagrama 1b
Puntos reflejos del rostro

sentido de la ceja en lugar de a contrapelo, aunque esto no afecte al resultado. Igualmente, el punto 26, situado entre las cejas, puede estimularse indistintamente con un movimiento de barrido o pulimento de arriba abajo o de abajo arriba.

Todo depende del utensilio empleado. Si masajeamos con una punta de acero, tendremos que estimular los puntos presionándolos, girando ligeramente el instrumento. Si empleamos un bolígrafo, un rodillo o una varita, por ejemplo, nos será más fácil barrer la zona donde se encuentra el punto –generalmente en la zona refleja correspondiente.

Sentido del masaje del rostro

Hay otra regla que aprender respecto al sentido general que hay que imprimir al masaje del rostro en función del resultado deseado:

— Para relajar: masajear en el sentido cabeza-pies, es decir, desde la frente hasta el mentón.
— Para tonificar: masajear en el sentido pies-cabeza, esto es, desde el mentón en dirección a la frente.

Conviene que los principiantes no presten atención a tales detalles en sus primeras experiencias; los resultados pueden ser excelentes con medios simples. Sin embargo, con un poco más de práctica, esta regla puede ser muy útil y permitirte resultados aún mejores.

Mi consejo

No intentes memorizar los puntos. Los aprenderás con la práctica, poco a poco. Afortunadamente, pronto podrás utilizar las zonas reflejas, lo que te permitirá practicar una sesión cuando sea necesario, incluso si aún no has memorizado algunos puntos. ¡Avanza paso a paso!

Diagrama 2. Proyección general del cuerpo en el rostro

A continuación, veamos cómo visualizar las correspondencias entre las diversas partes del cuerpo y el rostro.

Empecemos por el diagrama más fácil de memorizar, el que os será más útil en caso de herida, esguince o cualquier dolencia de las articulaciones en todo el cuerpo: los **diagramas 2a y 2b**, que representan el esquema corporal **externo**, es decir, las partes del cuerpo en correspondencia con las del rostro.

Esta figura representa a un ser humano proyectado en el rostro. La idea básica es asimilarlo todo a las formas análogas en cuerpo y rostro.

— En la forma de las aletas nasales se reconocen fácilmente la pelvis... y las nalgas.

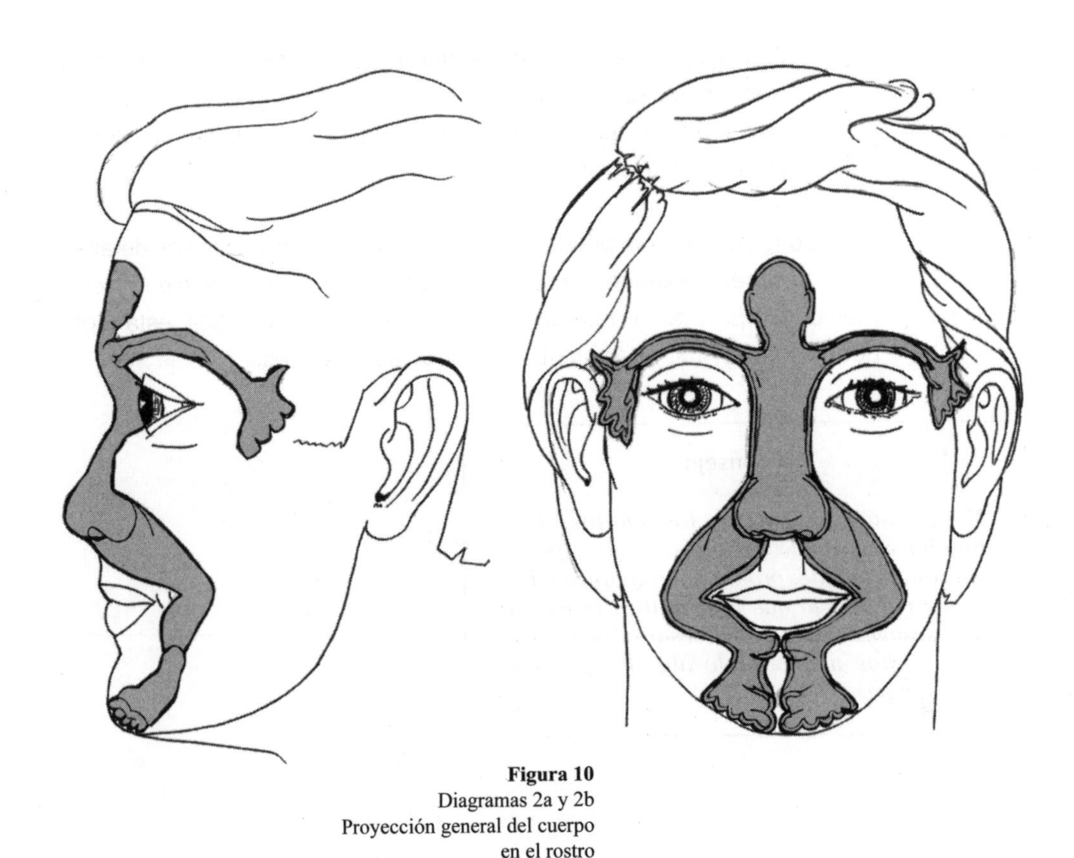

Figura 10
Diagramas 2a y 2b
Proyección general del cuerpo
en el rostro

— La nariz hace pensar en el tronco y el caballete nasal en la columna vertebral: el cóccix en la punta de la nariz; a continuación remontamos el caballete y encontramos sucesivamente las lumbares, después las dorsales hasta acabar en las cervicales en el hoyuelo situado en el nacimiento de la nariz.
— Prolongación natural: después de las cervicales encontramos proyectada la cabeza, en el centro de la mitad inferior de la frente. Esta cabeza lo abarca todo: cerebro, ojos, orejas (a cada lado de la zona de proyección), boca, dientes, etc. ¿Comprendes la lógica del procedimiento?

Hasta ahora tenemos un tronco coronado por una cabeza. En tu opinión, ¿qué podría representar a las articulaciones superiores (hombros, brazos, antebrazos, muñecas y manos)? Observa dónde se sitúan las cervicales: en el nacimiento de la nariz. Pues bien, los miembros parten de cada lado, siguiendo la línea de las cejas. Así obtenemos:

— Los hombros en el nacimiento de las cejas: a la derecha el hombro derecho, a la izquierda el izquierdo, ¡nada más sencillo! La zona no está representada por una simple línea que traza la curva de la ceja; todo el arco ciliar está implicado y a veces encontrarás el punto doloroso justo en las cejas o bien ligeramente arriba o abajo. Determinados dolores de hombros proceden, de hecho, de la parte superior de la espalda: en este caso, no te asombres si encuentras una zona refleja dolorosa en la nariz, a la altura de las primeras dorsales, pero en la pendiente (y no en el caballete).

Regla básica número 2

En el interior de una zona refleja determinada hay que buscar el punto o la zona más doloroso. Para ello normalmente es útil "tantear" un poco. No dudes en hacerlo.

— En la prolongación de los hombros –al igual que en tu propio brazo– encontrarás la zona correspondiente al brazo propiamente dicho.

— El codo se sitúa en la parte más elevada de la ceja, hacia el centro, justo antes de que vuelva a descender. En caso de dolor en esa región, busca el punto más sensible en la propia ceja, pero también un poco más arriba o más abajo.
— Como prolongación lógica del codo, el antebrazo, proyectado en la parte descendente de las cejas.
— En el extremo natural de las cejas (piensa en las mujeres que se depilan), es decir, en el extremo del arco ciliar, hallarás la zona correspondiente a la muñeca.
— A partir de ahí, hay una proyección de las manos sobre las sienes, con sus cinco dedos separados.

Regla básica número 3

Las articulaciones siempre representan una ruptura en la alineación de las extremidades u otras partes del cuerpo. Por lo tanto, es lógico encontrarlas proyectadas en zonas que establecen el mismo tipo de ruptura: la parte alta de la ceja, la comisura de los labios, el hoyuelo del mentón, el extremo del arco ciliar, los ángulos del cuero cabelludo, etc.
Asimismo, desde el momento en que una línea del rostro se interrumpe o cambia de dirección es muy posible que el lugar corresponda a una o varias articulaciones... que a su vez se corresponden entre ellas.
Recordar esto te facilitará mucho las cosas.

Hasta ahora disponemos de la proyección del tronco, la cabeza y las extremidades superiores. ¿Dónde piensas que, lógicamente, se encuentra la proyección de las extremidades inferiores? En la base del tronco, evidentemente. Observa el rostro: apreciarás dos surcos, más o menos profundos en función de la edad y la persona, que parten de las fosas nasales y alcanzan los extremos de la boca, la comisura de los labios: es el pliegue nasógeno. ¿No te parece que representa unas piernas ligeramente separadas? Por lo tanto, ahora tenemos lo siguiente:

— Los muslos, que parten de las aletas nasales y recorren el pliegue nasógeno.
— En la comisura de los labios encontramos las rodillas.

— A continuación las piernas, a lo largo de una línea imaginaria trazada desde la comisura de los labios hasta el mentón, a ambos lados del rostro.
— Encontrarás los tobillos proyectados a ambos lados del hoyuelo del mentón.
— Seguidamente los pies, cuya planta se une a la línea mediana del mentón.
— Los dedos se proyectan a lo largo de los maxilares: los dedos gordos en el centro del mentón y los demás repartidos por la mandíbula; en caso de necesidad hallarás fácilmente el punto correspondiente a la extremidad que te cause problemas.

Resumiendo y simplificando, en orden descendente observarás (de la cabeza al mentón):

— La *cabeza*, representada en la zona media de la frente.
— El nacimiento de la nariz, que corresponde a las *cervicales*.
— Los *hombros*, que siguen la línea de las cejas y se prolongan en hombros y manos, representados en las sienes.
— El *raquis*, que surge de la parte inferior de la frente y sigue el caballete nasal.
— Las *nalgas* y *caderas*, representadas por las aletas y fosas nasales.
— Los *muslos*, que se extienden a lo largo del pliegue nasógeno.
— Las *rodillas*, situadas en la comisura de los labios.
— Las *pantorrillas*, que siguen la línea que las une al mentón.
— Los *pies*, que se encuentran a la altura del mentón.
— Los *dedos gordos*, representados en el centro del mentón.
— El *resto de los dedos*, que se extienden, en orden, por el reborde de la mandíbula.

Estas indicaciones te permitirán encontrar la región que tengas que masajear. Ten, sin embargo, presente que debes hallar los puntos más sensibles en la zona de correspondencia: tras recorrer el conjunto de la zona refleja, has de detenerte en ellos hasta la desaparición de la sensación dolorosa. La regla es la misma para las otras zonas de proyección.

Diagrama 3. Proyección de los órganos internos en el rostro

En realidad, este nuevo sistema de proyección se deduce del anterior, lo que facilita enormemente su memorización. Para ello, sólo tienes que comparar tu rostro con tu cuerpo.

Empieza estudiando tu tronco. Está compuesto por dos elementos principales: tórax y abdomen. ¿Cuál es la principal diferencia entre ellos? El tórax está formado por la caja torácica, protegida por las costillas. El abdomen es la parta blanda, "contenida" por la pelvis.

A continuación, observa la constitución de tu rostro. Está formado por dos partes fundamentales: la superior, ósea (pómulos y frente), y la parte inferior, más blanda, "contenida" por la estructura craneal.

Esta analogía básica se verifica en los detalles:

— El tórax y todo lo que contiene se proyecta en las partes óseas del rostro: pómulos y frente.
— El abdomen y todo lo que aloja se proyecta en la parte inferior del rostro, bajo los pómulos.

Prosigamos la analogía, siempre refiriéndonos a nuestro propio cuerpo. Y recuerda que el lado derecho del rostro se corresponde con el lado derecho del cuerpo, y que el mismo principio se aplica al izquierdo.

— *¿Qué encontramos en la caja torácica?*
Los pulmones, los bronquios, el corazón...
— *¿Qué encontraremos en los pómulos y la frente?*
Los pulmones, los bronquios, el corazón...

— *¿Qué hay bajo las costillas, a la derecha?*
El hígado y la vesícula biliar.
— *¿Dónde encontraremos la proyección del hígado y la vesícula biliar en el rostro?*
A la derecha, bajo el pómulo.

— *¿Qué hay bajo las costillas, a la izquierda?*
El bazo y el páncreas.
— *¿Qué encontraremos bajo el pómulo izquierdo?*
El bazo y el páncreas.

La analogía es constante y te permitirá deducir lo que se ubica bajo los pómulos y en qué orden. Bajo el diafragma encontramos los intestinos –el intestino delgado y el colon–; a ambos lados se sitúan los riñones, coronados por las glándulas suprarrenales; descendiendo están la vesícula y los órganos genitales, en la base del tronco. Encontrarás esos órganos proyectados en el mismo orden en la base del rostro.

Tomemos el ejemplo del colon: en tu cuerpo, el colon ascendente sube a la derecha, forma un ángulo, a continuación el colon transverso pasa por el diafragma, forma un nuevo ángulo y desciende por la izquierda (colon descendente), antes de llegar al recto y al ano, en el centro, en la base del tronco.

Del mismo modo, en el rostro hallarás el colon ascendente, que sube a la derecha de la boca siguiendo el pliegue nasógeno, luego el transverso, que pasa sobre el labio superior hacia la izquierda, y el descendente, que baja por el pliegue nasógeno a la izquierda de la boca para enseguida alcanzar el centro del mentón en la zona correspondiente al recto y al ano, en la base del rostro.

Los riñones se proyectan a ambos lados de la comisura de los labios, y están coronados por la proyección de las glándulas suprarrenales.

Advertencia: no te sorprenda encontrar también los órganos genitales en el labio superior, además de su proyección en el mentón: recuerda que el rostro cuenta con muchos sistemas de proyección superpuestos, como el pastel milhojas, así como el sistema de puntos reflejos.

Observa la **figura 11** (página siguiente), sobre la proyección de los órganos internos en el rostro teniendo en cuenta esta analogía: hará que la memorización te resulte más fácil.

Ten presente que todas las zonas reflejas se sitúan entre las cejas y la base del mentón.

Figura 11
Diagrama 3
Proyección de los órganos internos en el rostro

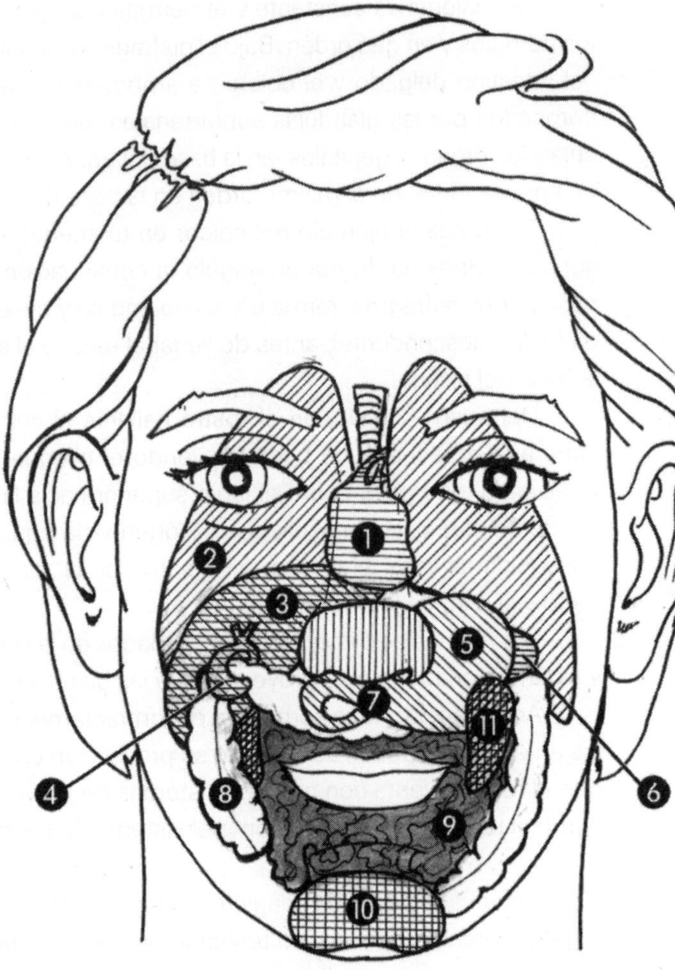

En resumen, y según el orden señalado en la figura 11:

1. Desde el nacimiento hasta el centro de la nariz, así como en la aleta izquierda: **corazón – arteria pulmonar**.
2. Desde las cejas hasta los pómulos: **pulmones – bronquios...**
3. En la base del pómulo, a la derecha: **hígado**.
4. En esa misma zona, hacia la base: **vesícula biliar – conductos biliares**.
5. En la base del pómulo, a la izquierda: **estómago – páncreas**.
6. A la izquierda de la aleta nasal, junto al estómago: **bazo**.
7. Bajo la nariz: **estómago – páncreas – colon transverso – ovarios – próstata**.
8. La zona del **colon** se extiende desde el borde del mentón, a la derecha, asciende hasta el labio superior (**colon ascendente**), atraviesa la región situada entre el labio y la base de la nariz (**colon transverso**), y a continuación desciende hacia la punta del mentón (**colon descendente**).
9. Alrededor de los labios: **intestino delgado**.
10. De la zona superior del mentón a su borde: **útero – ovarios – próstata – vejiga – recto**.
11. A ambos lados de la boca: **riñones – glándulas suprarrenales**.

Observación: su localización central y a la izquierda de la caja torácica provoca que las zonas de correspondencia del estómago y el páncreas se encuentren a la vez a la izquierda de la nariz y en el labio superior: la presencia de la nariz impide que dispongamos de toda la superficie de la zona refleja (la reflexología endonasal se encarga de la proyección de esta zona al completo).

Diagramas 4, 5 y 6.
Proyecciones de los miembros en la frente

En el **diagrama 4**, la frente es la zona refleja del córtex cerebral. Estas ubicaciones se armonizan con las diversas partes del homúnculo ideado en los años veinte por el neurocirujano canadiense Wilder Graves Penfield a partir de su cartografía del córtex cerebral humano y sus diferentes funciones. Ten en cuenta que ambos lados son simétricos: la mitad derecha del cuerpo a la derecha; la mitad izquierda a la izquierda.

Este diagrama nos muestra a un hombre inclinado hacia delante, con los brazos extendidos por encima de la cabeza.

Empieza visualizando una línea vertical imaginaria que vincule el punto situado entre las cejas y el centro de la línea que parte del cuero cabelludo: la frente, entonces, queda dividida en dos. A cada lado de esta línea

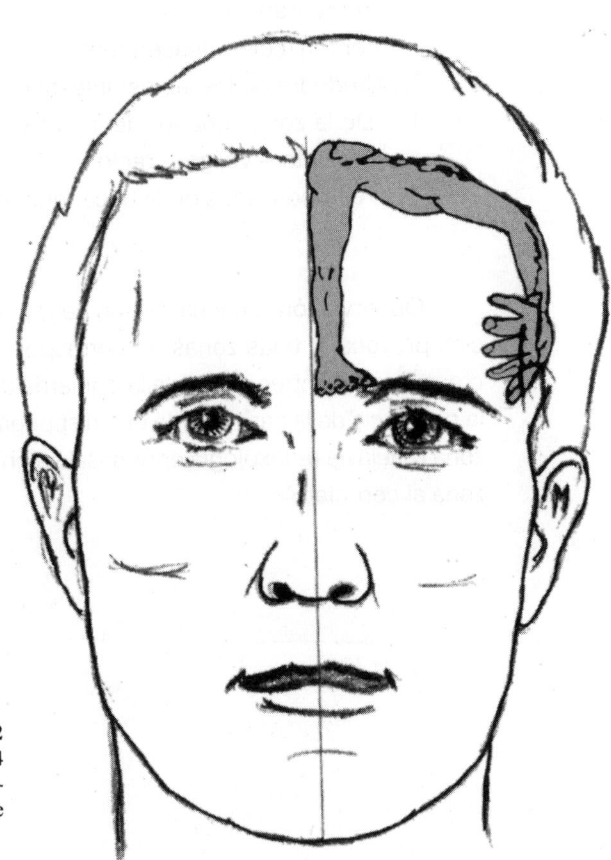

Figura 12
Diagrama 4
Proyección de los miembros en la frente

vertical se extiende la proyección de la mitad del cuerpo correspondiente: la mitad derecha a la derecha, la mitad izquierda a la izquierda. A lo largo de la línea vertical tenemos una proyección de las piernas: la derecha a la derecha de la línea, otro tanto para la pierna izquierda:

— las *nalgas* y la *pelvis* están representadas, con sus respectivas partes izquierda y derecha dispuestas a ambos lados, en el centro de la línea que señala el nacimiento del cabello, en la parte alta de la frente;
— la proyección de las *rodillas* se ubica en el centro de la frente, en vertical respecto al nacimiento de las cejas;
— entre las dos zonas anteriores encontramos los *muslos*;
— a continuación, la zona refleja de las *pantorrillas*, que empieza en la de las rodillas y desciende hasta las cejas;
— luego, algo más abajo, tenemos la zona refleja de los *tobillos*;
— más abajo, la de los *pies* y sus correspondientes *articulaciones*, que se proyectan desde el punto situado entre las cejas (el dedo gordo se representa en el nacimiento del arco ciliar, mientras que el quinto se sitúa en el centro, a la altura del punto 26).

Desde el punto central de la línea del cuero cabelludo en dirección al ángulo externo encontramos una proyección del tronco:

— la *espalda* y la *columna vertebral* se ubican a lo largo de esa línea, empezando por el *cóccix* en el centro, luego las *lumbares*, las *dorsales* y por último las *cervicales*, entre el ángulo externo y las sienes, descendiendo a lo largo del nacimiento del cabello;
— en el mismo orden encontramos el *abdomen*, entre la proyección de la pelvis y la mitad de la línea del cuero cabelludo;
— después, el *pecho*;
— y, por último, la *articulación del hombro* en el ángulo externo de la frente.

A continuación, la proyección del brazo desciende hacia la sien a partir de la proyección del hombro:

— el *hombro*, en el ángulo externo del cuero cabelludo;
— luego el *brazo*, descendiendo hacia la sien;

— el *codo*, a media altura de la frente;
— el *antebrazo*;
— por último, la *mano* y los *dedos*, siempre siguiendo el nacimiento del cabello: el pulgar se representa en la sien, el meñique en la línea mediana de la frente y los demás entre estas dos proyecciones.

Para facilitar la interpretación de estas proyecciones (he recibido muchas preguntas respecto a este diagrama en mi primer libro sobre el Dien' Cham'), se las puede dividir, como he hecho en los diagramas siguientes (**figuras 13 y 14**), donde se muestran, por separado, las proyecciones de las piernas y los brazos.

El **diagrama 5** muestra la proyección de la pierna izquierda en la frente. La pierna derecha se encuentra proyectada del mismo modo en la zona derecha. Los números señalan las distintas partes del miembro.

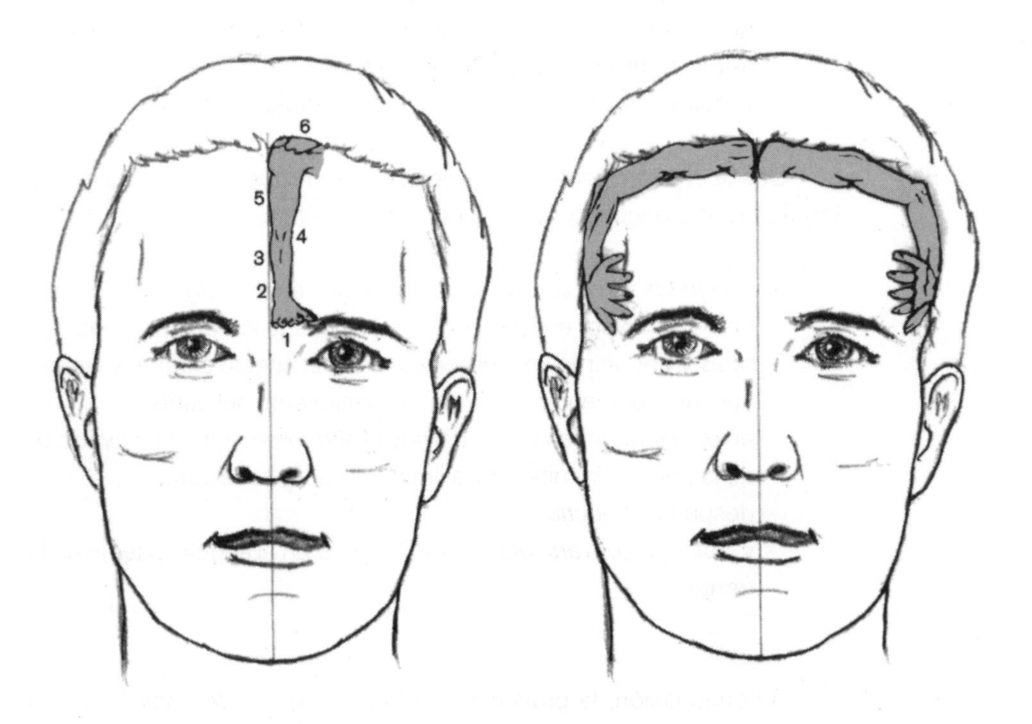

Figura 13
Diagrama 5
Proyección de las piernas en la frente

1) Pie. Los dedos se proyectan desde el punto central situado entre las cejas hacia su nacimiento. 2) Tobillo. 3) Pantorrilla. 4) Rodilla. 5) Muslo. 6) Cadera y pelvis

Figura 14
Diagrama 6
Proyección de los brazos en la frente

Diagrama 7. Proyección del rostro en la oreja

A continuación de la proyección del cuerpo tal como aparece en el diagrama 4, viene lógicamente la zona refleja de la cabeza y el rostro. Aquí adopta dos aspectos y dos proyecciones: una cabeza abajo en la prolongación de la zona refleja del hombro, antes de la sien (si imaginamos a nuestro hombre doblado en dos, con los brazos extendidos por encima de la cabeza, y ésta inclinada hacia abajo), y otra en el pabellón y la parte delantera de la oreja.

En el primer caso, encontramos la *nuca* y el *cuello* encima de la oreja, bajo los cabellos.

Delante de la oreja y en el propio pabellón auricular, hallamos lo siguiente:

— El *ojo*: en la confluencia entre la parte superior de la oreja y el rostro, a la altura del extremo de la ceja, y en la parte superior del pabellón auricular.
— La *nariz*: proyección en el trago (el pequeño triángulo carnoso delante de la oreja) y la parte inferior del antihelix, a la altura de la zona media de la nariz.
— La *boca* y la *lengua*: proyección en el lugar donde el lóbulo se une al rostro, con proyección de la mitad de la boca (y los dientes) y de la lengua del lado correspondiente en el propio lóbulo.
— La *tráquea*, el *esófago*, la *laringe*, la *garganta*, pero también la *tiroides* y la *paratiroides*: zona situada bajo el lóbulo de la oreja, en la confluencia entre el lóbulo y la mandíbula.

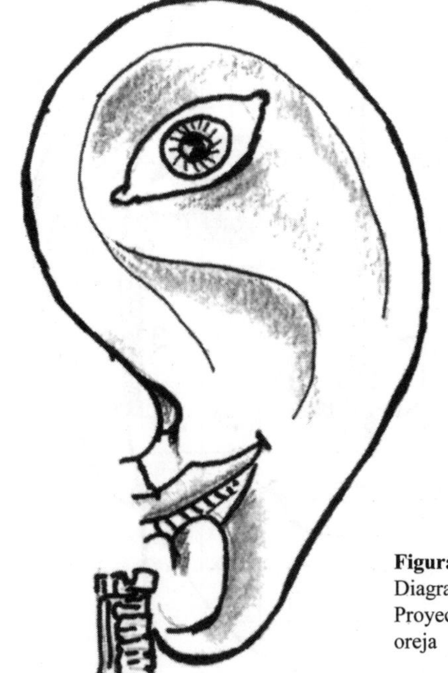

Figura 15
Diagrama 7
Proyección del rostro en la oreja

Diagrama 8. Proyecciones de la columna vertebral en el rostro

En este diagrama se han reunido muchas zonas reflejas de la columna vertebral. Recuerda que en este método simplificado sólo conservo lo esencial: en terapia facial existen, en la actualidad, veintidós diagramas.

Estas zonas de la columna vertebral son importantes, porque a menudo una zona de correspondencia es más dolorosa que la otra, lo que puede variar entre sesiones. Por lo tanto, su conocimiento es de gran utilidad.

En la práctica, pruébalas todas, sistemáticamente, y quédate sólo con aquellas que mejor se adecuen a tus propósitos.

No dejes de recordar nuestro método analógico:

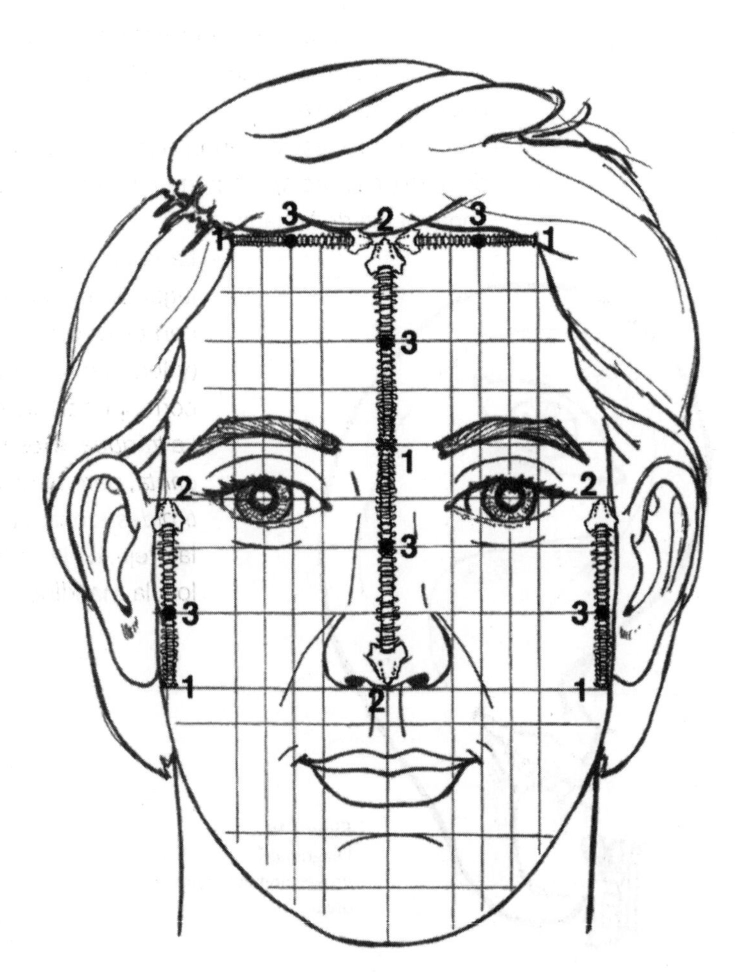

Figura 16
Diagrama 8
Proyecciones de la columna vertebral en el rostro
1) cervicales
2) cóccix
3) plexo solar

— En el lugar donde localices una zona o punto que corresponda al cuello o la garganta también encontrarás las vértebras cervicales... y, por lo tanto, el resto de la columna vertebral.
— Además, allí donde se proyecta la pelvis o las nalgas ha de haber, forzosamente, un cóccix... y el principio de una columna vertebral.

Por otra parte, donde localices una columna vertebral –es decir, las dorsales y lumbares– también hallarás un tórax y un abdomen: lo que está detrás se asemeja a lo que está delante, y a la inversa. Esto te permitirá deducir fácilmente las zonas de correspondencia orgánica sin tener que realizar grandes esfuerzos de memorización:

— A las lumbares y al cóccix le corresponden un abdomen, con todos los órganos que contiene.
— A las dorsales le corresponde un tórax, con todos sus órganos.

Recuerda siempre que tu propio cuerpo es tu mejor referente y recordatorio: en caso de duda, remítete a él sistemáticamente, planteándote preguntas del tipo:

— *¿Dónde tengo el hígado?* Bajo las costillas, a la derecha, justo bajo el tórax.
— *Entonces, ¿dónde estará el hígado en relación con esta proyección de la columna vertebral?* Justo bajo el tórax, a la derecha.

Comprobarás rápidamente la eficacia de semejante método de memorización. Gracias a él, muy pronto serás capaz de practicar el Dien' Cham' en toda circunstancia, con un utensilio improvisado y sin tener que recurrir siempre a este libro.

Conviene añadir a lo anterior otra zona refleja de los órganos genitales –en analogía con la del cóccix– que se extiende desde el punto entre las cejas y desciende hasta el nacimiento de la nariz (entre los puntos 8 y 26).

En este diagrama se representan, pues, cuatro proyecciones diferentes de la columna vertebral en el rostro:

— En el caballete de la nariz (véase el diagrama 2): el cóccix se sitúa en la punta de la nariz y las cervicales en el espacio entre las cejas, en el nacimiento de aquélla. El plexo solar está a medio camino y constituye el punto de separación entre tórax y abdomen.

— Del nacimiento de la nariz al nacimiento de los cabellos, en el centro: encontramos siempre las cervicales entre las cejas, lógicamente prolongadas por una columna vertebral cuyo cóccix se sitúa en el nacimiento del cabello. A media altura de esta línea, a la del punto 103, se ubica el plexo solar. Este punto señala, asimismo, la línea de separación entre el tórax (a la altura de las dorsales) y el abdomen (del 103 al nacimiento del cabello). Evidentemente, estas zonas de correspondencia orgánica se amplían al conjunto de la frente (véase el diagrama 9).

— Puesto que el nacimiento del cabello indica una zona "cóccix", aún hay proyectada una columna vertebral a partir de ese punto situado en el centro del nacimiento del cabello. En esta ocasión, sencillamente la zona de proyección se divide en dos, con lo que tenemos: la parte derecha del raquis, que se extiende desde el punto 126 (cóccix) hasta el ángulo derecho del cuero cabelludo (cervicales), y la parte izquierda del raquis, que también parte del punto 126 y concluye en el ángulo izquierdo del cuero cabelludo (cervicales).

— La línea que se extiende desde la base del punto de unión del lóbulo auricular hasta el punto de unión superior de la oreja al rostro también representa una zona de correspondencia con la columna vertebral. Recuerda: en la base del lóbulo encontramos los puntos 14 y 15, en analogía con la garganta, la tiroides, etc. Ahora bien, ahí donde hallamos una zona de la garganta también existe una correspondencia con las cervicales. Este lugar señala, pues, el comienzo de una zona refleja de la columna vertebral. De este modo observamos lo siguiente: del punto 14 al 0: cervicales y dorsales; del punto 0 al 16: lumbares y cóccix. La regla de la lateralidad sigue siendo válida.

Con un poco de práctica lograrás localizar fácilmente cada vértebra: la señal de alarma de tu cuerpo a la hora de indicarte su emplazamiento será, por supuesto, el punto doloroso.

Diagramas 9 y 10. Zonas reflejas de la frente

Tomemos como punto de partida la zona refleja de la columna vertebral situada a lo largo de la línea mediana de la frente, entre el nacimiento del cabello y el centro de la línea del cuero cabelludo. Recuerda que, entre las cejas, en el nacimiento de la nariz, hay una zona refleja de las cervicales, muy útil en caso de tortícolis. Y en medio de la línea de los cabellos, una proyección de la pelvis, respectivamente a derecha e izquierda.

De ello deducimos la presencia de un nuevo personaje, análogo al que hallamos en el diagrama 2 pero... boca abajo. Los hombros y brazos siguen en su lugar, pero el resto del cuerpo se encuentra invertido. Encontraremos las siguientes proyecciones:

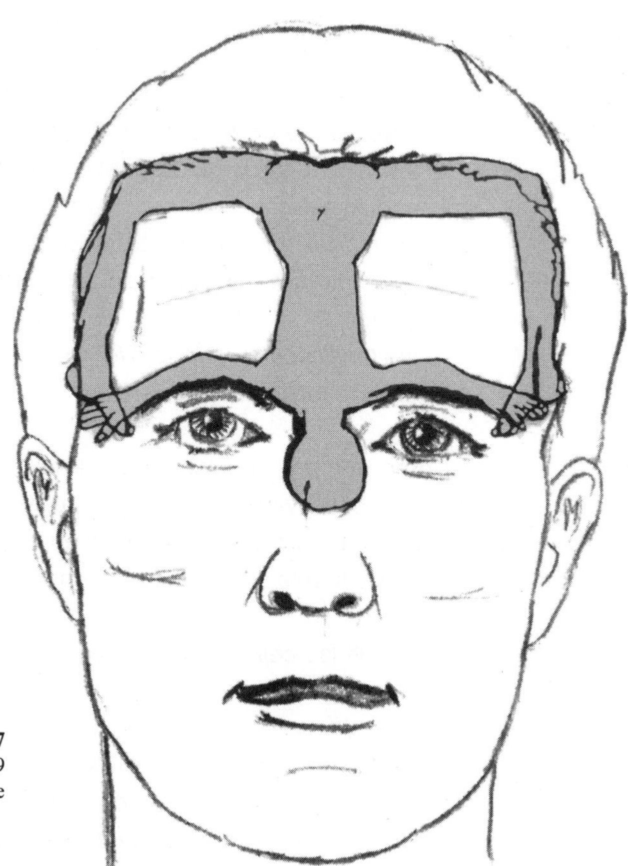

Figura 17
Diagrama 9
Zonas reflejas de la frente

— la *cabeza* en la parte superior de la nariz (con los puntos de los ojos, orejas, boca, dientes, etc);
— los *hombros*, *brazo*, *codo*, *antebrazo*, *muñeca*, *mano* y *dedos* a lo largo de las cejas y en las sienes;
— las *dorsales* por encima de las cervicales (26 a 103);
— el *plexo solar* en el punto situado en medio de la frente (103);
— después, las *lumbares* (103 a 342);
— y, por último, el *cóccix* (342 a 126).

Encontramos la pelvis y las nalgas en el nacimiento del cabello; luego una nueva proyección de las extremidades inferiores a cada lado, exactamente en el lugar donde se situaban las superiores en el diagrama 4, como si nuestro hombre se mantuviera en equilibrio sobre la cabeza, con los brazos y las piernas separados (y a pesar de la curiosa flexibilidad de las rodillas). Así, tenemos:

— la *pelvis*, en el centro de la línea del cuero cabelludo (la mitad derecha a la derecha, la mitad izquierda a la izquierda);
— los *muslos* a lo largo del cuero cabelludo, desde el centro hasta el ángulo externo;
— las *rodillas* en el ángulo externo;
— las *pantorrillas*, desde el ángulo externo descendiendo hacia las sienes;
— los *tobillos*, *pies* y *dedos del pie*, siempre siguiendo el nacimiento del cabello hasta las sienes.

Como siempre, aquí también tenemos una proyección del tórax y el abdomen, respectivamente a la altura de las dorsales y las lumbares. Para encontrarla, basta con trazar una línea horizontal a partir del punto del *plexo solar* (103), lo que separa la frente en dos partes:

— desde las cejas hasta la línea 124-103-124: el tórax con todo lo que se aloja en él: *tráquea, esófago, bronquios, pulmones, corazón, venas coronarias...;*
— de la línea 124-103-124 al nacimiento del cabello: el abdomen, con todo lo que contiene: *hígado, estómago, páncreas, bazo, intestino delgado, colon (ascendente, transverso y descendente), riñones, glándulas suprarrenales, uréter, vejiga, órganos genitales...*

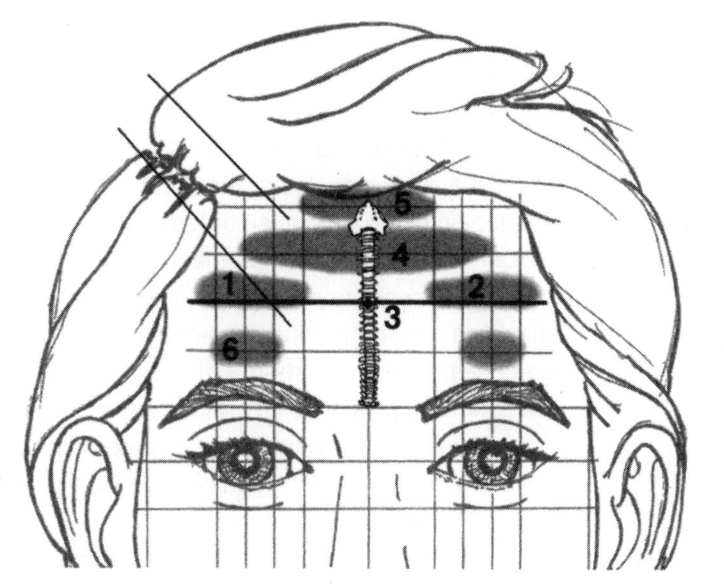

Figura 18
Diagrama 10
Proyección de los órganos internos en la frente

1) hígado, vesícula biliar
2) bazo, páncreas
3) plexo solar, estómago
4) lumbares, intestinos, riñones
5) cóccix, órganos genitales, vejiga, recto
6) senos, corazón (a la izquierda), bronquios, pulmones

Te será fácil situar estos órganos internos valiéndote una vez más de la analogía con tu propio cuerpo, lo que evitará sobrecargar el diagrama. Además, en caso de problemas, las zonas afectadas te indicarán su emplazamiento exacto mediante un dolor muy especial: a veces tenemos la impresión de un corte en la piel.

Diagrama 11.
Proyecciones de las articulaciones en el rostro

Esta figura resume las diversas proyecciones de las articulaciones en el rostro. Fíjate en que lo normal es que se localicen en una zona de ruptura de la alineación (los diversos "ángulos" formados por el cuero cabelludo) o en una zona que se deforma frecuentemente (la comisura de los labios): esto establece una analogía con el juego de las articulaciones, cuyo papel consiste justamente en permitir un cambio de orientación del miembro o de determinadas partes del esqueleto. Que no te sorprenda, entonces, hallar los hombros y la pelvis, codos y rodillas, tobillos y muñecas, manos y pies en los mismos lugares.

Mejor aún, has de saber que, en realidad, todas las articulaciones se corresponden. Por lo tanto, en caso de duda puedes estimular, sin dudarlo,

Figura 19
Diagrama 11
Proyección de las articulaciones en el rostro

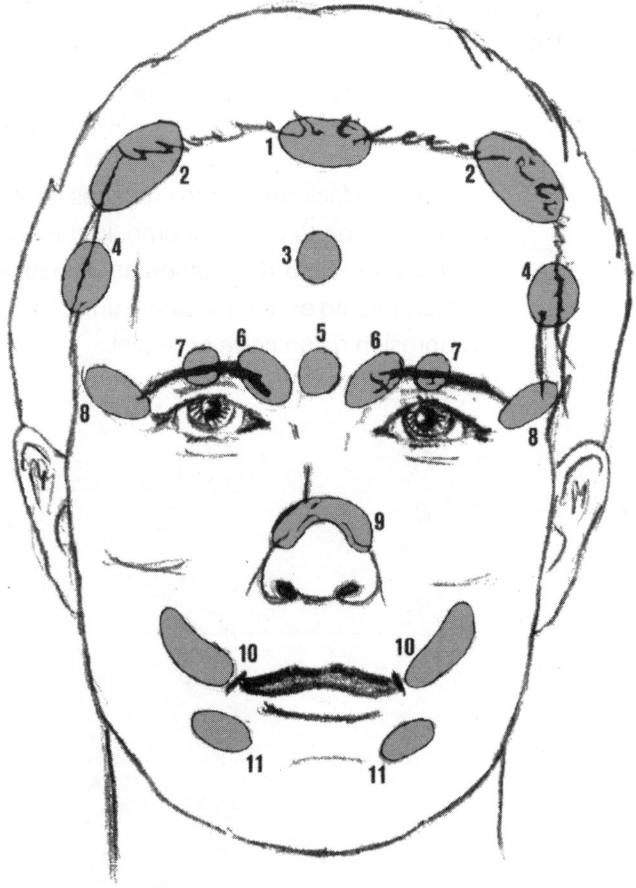

1) cóccix, cadera, pelvis
2) cervicales, rodillas, hombros
3) rodillas
4) codos, rodillas
5) cervicales, tobillos
6) hombros, dedos del pie
7) codos
8) muñecas, tobillos
9) pelvis, cadera
10) rodillas
11) tobillos

TODAS las zonas articulares en su conjunto, siempre insistiendo en las más sensibles. No es casualidad que sea muy difícil que una persona artrítica padezca su dolencia en una sola articulación: la mayor parte del tiempo es el conjunto de las zonas el que se ve afectado, algunas más que otras.

Diagrama 12. Zonas reflejas delante de la oreja

Recuerda lo que he dicho anteriormente: ahí donde se proyecta la columna vertebral podrán deducirse las proyecciones del tórax y el abdomen. Esto también se aplica a las zonas reflejas situadas justo delante de la oreja, a la altura del punto 0 sobre el que, a partir de ahora, volveré a menudo.

Aquí estudiaremos la línea que pasa justo delante de la oreja y que se extiende desde el lugar en que se une al rostro, a la altura de los ojos, hasta su base a la altura del lóbulo. El punto 0 se sitúa en un pequeño hoyuelo hacia el centro de esta línea.

Tal como señalé anteriormente respecto a las proyecciones de la columna vertebral, desde el momento en que descubrimos una zona del cuello o del cóccix, es fácil deducir el resto.

Aquí tenemos los puntos 14 y 15, en la base del lóbulo y en el hueco que hay detrás, que corresponden a la garganta. Piensa que estudiamos las partes del cuerpo en su conjunto y no de manera independiente. Por lo tanto, si el 14 y el 15 evocan la garganta, la zona en la que se encuentran no puede sino corresponder al cuello y, por ende, a las cervicales.

He aquí, pues, el cuello, en la base de esta línea que pasa ante la oreja. Hacia el centro de la línea tenemos el punto 0, que corresponde, entre otros, al estómago y al plexo solar. ¿Dónde se encuentra en relación a tu cuerpo? En el centro del tronco, en el hueco del estómago, a la altura del diafragma y, por lo tanto, a la mitad de la columna vertebral.

Podemos deducir que, desde la base del lóbulo hasta el punto 0, hallaremos las cervicales y las dorsales, y que del punto 0 al 16 tenemos la proyección de las lumbares y, por último, la del cóccix.

Esto nos permitirá reconocer, cabeza abajo, las proyecciones del tórax –del punto 14 al 0–, y del abdomen –del punto 0 al 16–. La analogía sigue siendo válida, con el hígado a la derecha, justo después del punto 0, el bazo y el páncreas al mismo nivel, a la izquierda, y los intestinos encima.

Obviamente, más arriba encontrarás las zonas reflejas de la vejiga, el recto y los órganos genitales. El conjunto de estas zonas se extiende algunos centímetros hacia los pómulos.

Puesto que tenemos dos orejas, vas a encontrar:

— Delante de la oreja derecha, las proyecciones de la parte derecha del tronco.
— Delante de la izquierda, las proyecciones de la parte izquierda del tronco.

Estas zonas reflejas son pequeñas y muy fáciles de estimular. No pretendas una precisión absoluta: limítate a masajear las zonas de correspondencia más sensibles como complemento a las de la frente y del resto del rostro.

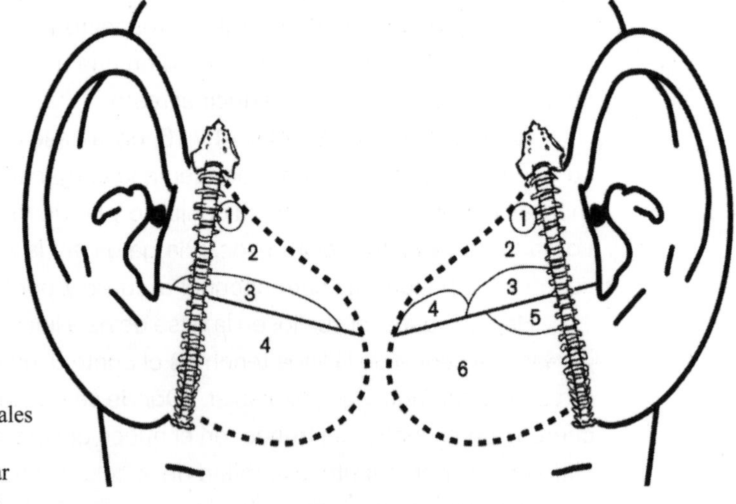

Figura 20
Diagrama 12
Zonas reflejas delante de la oreja

Oreja derecha
1) vejiga, órganos genitales
2) intestinos
3) hígado, vesícula biliar
4) pulmones, bronquios

Oreja izquierda
1) vejiga, órganos genitales
2) intestinos
3) páncreas, bazo
4) estómago
5) corazón
6) pulmones, bronquios

Diagrama 13.
Proyección de la planta de los pies en el rostro

Presento esta figura como una curiosidad. También existe una proyección de la palma de las manos en el rostro (análoga a la de los pies), así como una proyección de las zonas reflejas de la oreja: en este caso, la oreja derecha se proyecta en la mitad derecha del rostro y la izquierda en la mitad izquierda; el lóbulo de cada oreja se proyecta a la altura del mentón y el borde superior del pabellón auricular sigue la línea de las cejas; el trago se encuentra a la altura de su correspondencia: la nariz.

Este diagrama está sobre todo destinado a los reflexólogos, que sin duda se sorprenderán de la extraña analogía entre las zonas reflejas de las manos, la planta de los pies y las orejas... y su proyección en el rostro.

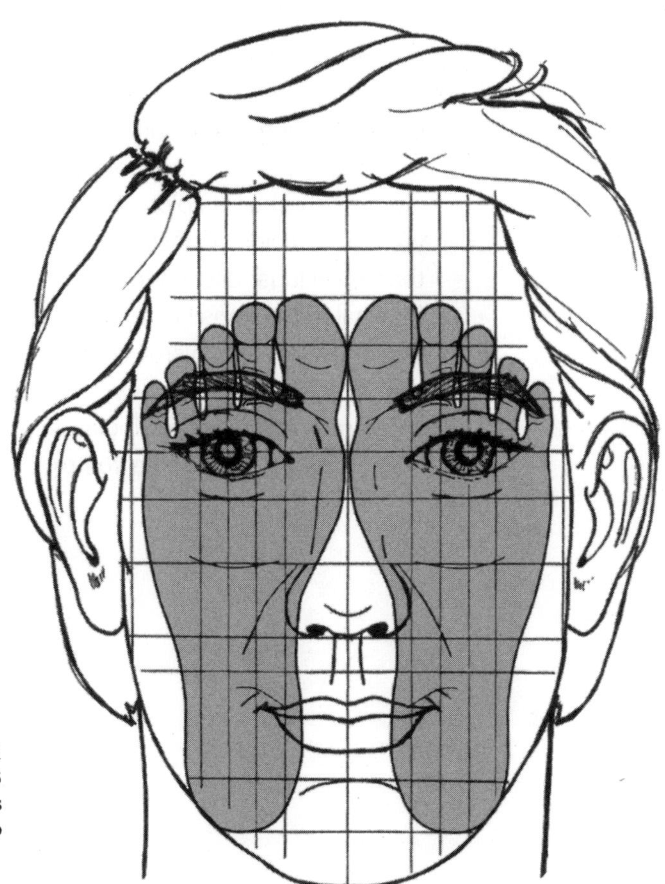

Figura 21
Diagrama 13
Proyección de la planta de los pies en el rostro

Para aquellos que conocen la reflexología plantar o palmar, observad que todo está en su lugar. Someramente (hay otras correspondencias) hallamos lo siguiente:

— Los dedos de los pies, que corresponden a diversas zonas de la cabeza (sinus, etc.), a determinadas funciones psíquicas y emotivas, se encuentran a la altura de las cejas –justo en el nivel del sinus–. En cuanto a los dedos gordos, que representan la cabeza en su conjunto, se reúnen en el nacimiento de la nariz y por encima de ella, exactamente en la zona de proyección de la cabeza en el Dien' Cham'.

— Los montes situados bajo los dedos corresponden a los pulmones y los bronquios; ahora bien, se encuentran en las mismas zonas de correspondencia que en el Dien' Cham'.

— Lo mismo ocurre con los órganos internos –hígado, bazo, páncreas, estómago...– que también hallamos en sus zonas de correspondencia.

— Más abajo, en la planta del pie, están las zonas reflejas de los intestinos, que se encuentran a la altura de la boca y, por lo tanto, en el lugar que les corresponde: el colon ascendente en la planta del pie derecho; el colon, que parte de un pie para llegar al otro, y a continuación el descendente, en la planta del pie izquierdo: todo en el lugar adecuado.

— En el talón tenemos las zonas reflejas del recto, el ano y los órganos genitales: a la misma altura que las del mentón.

Encontramos idénticas analogías si proyectamos la palma de las manos o las orejas a cada lado del rostro.

3 La sesión de Dien' Cham'

Ahora aprenderás a utilizar algunos puntos básicos, a los que, progresivamente, añadirás otros puntos o zonas reflejas. Te aconsejo que al principio practiques regularmente la **sesión básica** descrita en este capítulo y que extiendas sus beneficios entre tus allegados. Sólo cuando esta sesión básica te resulte familiar y seas capaz de ejecutarla con soltura, podrás pensar en completarla personalizándola. Pero avanza paso a paso, esforzándote en asimilar los nuevos conceptos antes de pasar a otras etapas: ¡ésta es la llave del éxito!

Los "instrumentos"

Para empezar: ¿con qué masajear estos puntos y zonas reflejas? Mientras que la acupuntura emplea las agujas, la reflexología facial tan sólo utiliza los utensilios más sencillos: los propios dedos o el extremo redondeado de cualquier objeto, por ejemplo un bolígrafo. También hay instrumentos específicos que te darán excelentes resultados. Es evidente que si eres terapeuta tus clientes tal vez se sorprendan al verte utilizar un simple bolígrafo. En ese caso, el rodillo o el martillo "flor de ciruelo" presentarán un aspecto más "profesional". Sin embargo, no te equivoques:

Regla básica número 4

El instrumento importa poco: lo que cuenta y marca la diferencia es la elección sensata de los puntos y zonas reflejas, así como la técnica de estimulación.

Empecemos por los instrumentos vietnamitas de Dien' Cham'. El catálogo del profesor Bui Quoc Chau propone utensilios de todo tipo, forma y tamaño destinados a todas las partes del rostro y del cuerpo. Algunos han sido especialmente concebidos para el masaje en animales y uno de ellos incluso permite practicar la reflexología facial en los caballos. Más adelante encontrarás un capítulo que describe las técnicas básicas para tratar a tus animales domésticos.

Entre semejante abundancia de rodillos de todo tipo, mi preferencia se inclina por tres instrumentos especialmente interesantes desde mi punto de vista:

— El **pequeño rodillo facial**, también llamado *Ridoki* en Japón: está provisto de una varilla de acero en un extremo, terminada en una punta redondeada que permite la precisa estimulación de los puntos. Su otro extremo se compone de un pequeño rodillo dentado de protuberancias embotadas, lo que facilita la estimulación exacta de los puntos. Para estimular las zonas reflejas, simplemente se pasa el rodillo sobre el rostro: es rápido y eficaz. Es el instrumento multiuso que recomiendo habitualmente; también se puede utilizar en gatos y perros pequeños.

— El **gran rodillo**, que permite tratar a animales grandes: caballos, pero también perros de tamaño considerable. Facilita un rápido masaje de la espalda, muy relajante; tan sólo has de pasarla a cada lado de la columna vertebral durante unos instantes: ¡un verdadero regalo!

— El **martillo "flor de ciruelo"**: este nombre, embebido de romanticismo, no refleja la realidad de un instrumento cuyo uso en el rostro es bastante doloroso. Lo reservo, pues, para aquellos casos especiales que justifican su uso sólo por profesionales (parálisis diversas, parestesias...). Los terapeutas ya conocen el principio de los martillos "flor de ciruelo", que sirven para estimular la piel con la ayuda de sus puntas aceradas. No te preocupes: está especialmente diseñado para el rostro y provisto de puntas embotadas que atenúan la sensación y evitan cualquier peligro de herida. El mango del utensilio es de acero ligero. La cabeza posee dos extremos: uno de ellos tiene siete pequeñas puntas redondeadas destinadas a golpear las zonas reflejas del rostro. El otro presenta una punta de caucho flexible, muy útil para el masaje de niños y personas mayores débiles o enfermas (no hace ningún daño).

Sin embargo, no es indispensable procurarse instrumentos específicos: hay otros igual de eficaces que no te costarán nada. Además, creo que es muy importante aprender a utilizar los objetos cotidianos para estimular el rostro: nunca te encontrarás desprovisto de ellos y ninguna situación te pillará desprevenido. Tampoco hay excusas para no ofrecer tu ayuda a una persona que sufre, del estilo:

—¡Lo siento! Me habría gustado aliviar tu lumbago, pero he olvidado mi rodillo en la mesita de noche.

Esto es inadmisible. Todo sirve para estimular: los dedos o cualquier objeto que presente una punta redondeada:

— Un simple **bolígrafo** cuyo extremo sea redondo: si lo encuentras, te recomiendo uno de esos bolígrafos de dos o cuatro colores que tienen la ventaja de estar provistos de una pequeña bola de plástico en la punta del capuchón: esa bola es un magnífico instrumento para el Dien' Cham'. Además, una vez gastada la tinta, la bolita (redonda) sirve para trabajar los puntos reflejos con una gran precisión: equivale a la punta de acero de un rodillo pequeño. No tires tus bolígrafos, sobre todo aquellos cuyo capuchón es redondo o en forma de obús.
— Un simple **palillo** de madera como los que usas en la comida china y que puedes comprar en el supermercado por pocos céntimos. Basta con limar las dos puntas según la forma deseada (una simple lima de uñas de cartón nos prestará ese servicio): el extremo más fino ha de tallarse para convertirlo en una punta redondeada (del tamaño de la punta de un bolígrafo); el otro ha de limarse en forma de obús (con un limado no excesivamente achatado).
— La **varita de cristal** que a veces se emplea en estética: muy práctica y fácil de utilizar, presenta un extremo redondeado, útil para la estimulación de las zonas reflejas, y un extremo más agudo (aunque también redondeado), que permite trabajar los puntos.
— Las **piedras** de tu elección. Las encontrarás fácilmente a un precio módico. Escógelas con forma alargada y si es posible con la punta redondeada (tres o cuatro centímetros de largo por un centímetro o centímetro y medio de ancho). La ventaja es que no ocupan lugar en tu bolsa y podrás escoger el color según tus gustos. Algunos de mis lectores y alumnos han elegido piedras en armonía con su signo astrológico o su problema de salud. Personalmente dispongo de todo un surtido que utilizo en función de

mi estado anímico y preferencias. Me encanta trabajar con ellas y acariciar su superficie dura y pulimentada: es un material noble y vivo. Puedes escoger entre una gran variedad de piedras finas sencillamente pulidas. En la playa también encontrarás **guijarros** pulidos por el mar: buscar el guijarro que se adaptará a tus necesidades es un magnífico pasatiempo.

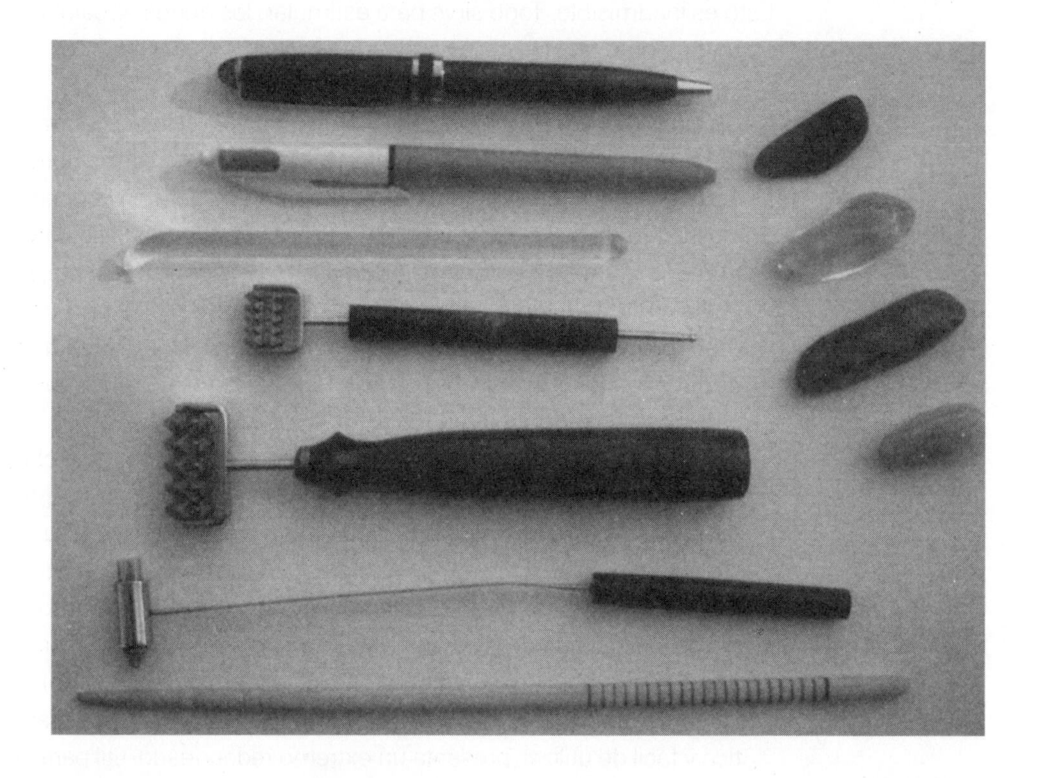

Figura 22
Los instrumentos

De arriba abajo:
- bolígrafos de punta redondeada
- varilla de vidrio
- rodillo pequeño
- rodillo grande
- flor de ciruelo
- varilla de madera (puntas limadas)
- diversas piedras...

Por supuesto, también puedes inventar tus instrumentos en función de las indicaciones ofrecidas. Algunos de mis lectores y alumnos me han mostrado, así, toda suerte de objetos –de madera, cristal, metal, piedra tallada o pulida, etc.– que habían construido a tal efecto. Algunos los habían decorado con gran gusto, lo que le añade encanto. ¡Por lo tanto, no dudes más y lánzate al asunto!

En cuanto a los **dedos**, siguen siendo las herramientas predilectas: siempre a tu disposición, flexibles y fáciles de manejar. Puedes masajear:

— Con la articulación del pulgar o del índice doblado: la punta de los dedos es demasiado blanda para la sesión de Dien' Cham'. Hay que ejercer cierta presión si queremos ser eficaces. Con la articulación de los dedos podemos punzar las zonas reflejas, pero difícilmente accederemos con precisión a los puntos propiamente dichos.
— Con el índice, el dedo medio y el anular (o los tres a la vez), podrás friccionar, presionar o golpear suavemente (sobre todo en las partes duras como la frente y las zonas óseas). A continuación veremos esto más detalladamente.

El masaje energético

El Dien' Cham' es también un método muy eficaz de masaje terapéutico. Es el más simple de todos y te prestará grandes servicios. Acostúmbrate a practicar regularmente la breve sesión de masaje energético que te pondrá en forma desde el despertar, pero también puede utilizarse a lo largo del día (único inconveniente: ¡deshace el peinado!).

Es tan agradable que muy pronto no podrás prescindir de él.

Al levantarse o en el transcurso de un viaje en coche

Este sencillo masaje asegura un despertar dinámico e infunde ánimos para abordar la jornada. Desvanece el cansancio de una mala noche, así como las arrugas incipientes, relajando el rostro y mejorando la circulación de la sangre y de la energía. Practica una sesión matinal cotidiana y empléalo a lo largo del día si es necesario. Tan sólo te llevará un momento y, como herramienta, únicamente necesitas tus propias manos.

Figura 23
El masaje energético

Por la mañana se tiene la mala costumbre de saltar de la cama en cuanto suena el despertador, lo que es muy malo para la salud ya que la energía se encuentra en estado de reposo durante la noche. Para reactivarla, empieza estirándote, como hacen los animales, pero muy suavemente (una fuerte contracción de los músculos puede originar un bloqueo susceptible de provocar dolores o calambres).

— Siempre en la cama, frota enérgicamente las manos una contra la otra para que entren en calor. A continuación colócalas en el rostro, a ambos lados de la nariz: los dedos medios en la parte superior de la pendiente de la nariz, los otros sobre el rostro.
— Desplaza entonces las manos hacia arriba, dejando que los dedos medios se deslicen hacia el nacimiento de la nariz y la parte central de la frente hasta los cabellos, en la cabeza. La palma y los otros dedos alisarán, al tiempo, la frente hasta la parte superior.
— A continuación, ambas manos descienden por ambos lados de la cabeza (al pasar, masajea las orejas para infundirles calor); por último, las palmas alcanzan la punta del mentón.

Coloca las manos como al principio y repite el circuito unas diez veces, en un mismo movimiento continuo. La presión de manos y dedos sobre el rostro ha de ser firme y consistente. Una vez concluida la breve sesión, tómate un momento para sentir el calor y la circulación de la energía en el rostro. Abrigarás un solo deseo: saltar de la cama, henchido de energía en el umbral de un nuevo día.

¿Te has levantado ya? Dirígete al cuarto de baño para completar el masaje: lava el rostro con agua muy caliente y luego fricciónalo con agua fría. Tanto la cara como el conjunto del organismo han quedado tonificados.

En el transcurso de la jornada o durante un cansado viaje en coche, concédete ese tiempo de descanso: recuperarás rápidamente el "tiempo perdido" con una mayor eficacia y disponibilidad. Quizá evites un accidente...

Nota: este ejercicio también permite sobrellevar mejor el frío en invierno y evita que cojamos resfriados.

La técnica de la estimulación

Es muy simple; es más fácil mostrarla y practicarla... que explicarla. Pero no te preocupes: la comprenderás muy bien y tu propia experiencia actuará como complemento a esta información.

Con un instrumento (rodillo, bolígrafo, varita, piedra...)

Hay muchas maneras de practicar la estimulación. Como condición previa, es indispensable asegurarte de que te instalas cómodamente (si permaneces de pie, asegúrate tu estabilidad). La mano ha de tener un punto de apoyo en el rostro, normalmente la muñeca o uno o dos dedos (meñique y anular). Hay que respetar esta precaución para evitar cualquier posible "derrape" en una dirección no deseada (sobre todo hacia los ojos), lo que podría ocurrir si trabajas sin apoyarte en el rostro.

Un consejo de amigo...

En primer lugar, empieza practicando en ti mismo, ante un espejo: así sabrás qué es y qué se siente en el transcurso de la sesión. En la mayoría de las ocasiones nuestros allegados nos sirven de cobayas, lo que no siempre aprecian como desearíamos.
Tus primeros logros te permitirán practicar; tus pacientes y tú mismo os sentiréis más tranquilos y los resultados mejorarán; también te granjearás su reconocimiento.

¿Tu postura es la adecuada? ¿Sostienes bien el instrumento? Según cada caso, puedes hacer lo siguiente:

— Con los mismos instrumentos, *barrer* o *friccionar* una zona amplia alrededor de un punto, un conjunto de puntos o una zona refleja, en el sentido deseado indicado en el diagrama 1 por medio de flechas (horizontal, vertical u oblicuamente, etc.) o en una dirección que te parezca lógica (por ejemplo, es desagradable estimular la zona de las cejas barriendo a contrapelo). Presiona lo suficiente (en general se produce un enrojecimiento de la piel), sin exagerar. Aun si la maniobra hace un poco de daño –sobre todo al principio– ha de ser agradable. Con algo de práctica serás tu mejor árbitro. Si es muy leve, la estimulación se revela ineficaz; si es excesiva, tus "cobayas" huirán para siempre: adopta el término medio.

— *Efectuar un movimiento de pulido* del punto o grupo de puntos, bien con la mina (usada) de un bolígrafo, con la punta redonda de una piedra, con una varita o incluso con la conocida punta de acero (o el extremo redondeado del rodillo). Para una buena ejecución hay que apoyar la herramienta elegida en la zona de masaje y girarla arrastrando la piel con el movimiento, como si aplastáramos el punto. Esta técnica se aplica a la estimulación de puntos especiales considerados aisladamente.

— *Estimular un punto o zona con el rodillo especial*. Pasamos el rodillo dentado por las zonas elegidas, ejerciendo una ligera presión: en general bastan diez o veinte pasadas rápidas.

— El *martillo de caucho* permite estimular tanto un punto como una zona refleja: propinamos una serie de golpecitos teniendo en cuenta el efecto rebote debido a la flexibilidad del mango (agradable para los niños y personas sensibles).

— *Punzar suavemente el rostro* siguiendo un ritmo lento y regular con la ayuda del martillo "flor de ciruelo": mucho menos desagradable que su homólogo empleado en otros métodos (sus puntas no son aceradas, pero aun así...), permite una excelente estimulación de las zonas "asfixiadas", inhibidas. Como el anterior, se utiliza mediante golpecitos leves y regulares. Personalmente reservo su uso a los casos que lo necesiten realmente (parálisis, parestesias, etc.), pues para la mayor parte de la gente produce un masaje doloroso.

Es necesario saber:

Normalmente la estimulación, aun vigorosa, de los puntos y zonas reflejas sólo provoca un enrojecimiento pasajero, que en los cursos de Dien' Cham' nos parece divertido; todos salimos con un aspecto radiante.
Sin embargo, hay casos -bastante excepcionales- en los que la estimulación puede causar una ligera excoriación de la piel, que da la impresión de desprenderse literalmente. Esta situación -frecuente en personas inmunodeprimidas- no ha de inquietarte excesivamente. Por supuesto, hay que dejar que la piel cicatrice, pero al mismo tiempo continuar con las sesiones de Dien' Cham' en otras zonas (que probablemente no reaccionarán de un modo tan agresivo), practicando una estimulación suave y que se adapte a las reacciones provocadas. En breve advertirás que el estado de la piel mejora al mismo tiempo que el conjunto de la persona.

Con los dedos

En este caso también hay diversas posibilidades:

— *Frotar* o *efectuar un movimiento de barrido* con la articulación del dedo doblado. Muy útil, esta sencilla técnica te permitirá un uso discreto dondequiera que estés. ¿De pronto te asalta el dolor de espalda en la oficina? Un momento de fricción basta para que se desvanezca. ¿Sientes un repentino dolor en el tobillo mientras corres, o una tensión muscular dolorosa? Detén tu carrera para aliviarte al momento, en pocos segundos. ¿Sabes de algo más simple y práctico?

— *Estimular ciertos puntos con la uña*: en algunas ocasiones podrás estimular algunos puntos (como el 19, situado justo bajo la nariz), hundiendo la uña levemente y haciéndola "vibrar" con un ligero movimiento. En el caso del punto 19, esto puede actuar como un "latigazo", útil en el transcurso del día (nota: prohibido a mujeres embarazadas y a los hipertensos).

— *Golpetear* ciertas zonas reflejas del rostro. En este caso emplea la muñeca como el mango flexible del martillo "flor de ciruelo". En primer lugar, prueba el movimiento: alza el antebrazo derecho flexionado y bascula suavemente la mano: procura que el movimiento sea suave y continuo. Repítelo flexionando ligeramente los dedos de modo que formen un ángulo recto con la palma, como una garra. A continuación coloca la palma de la mano izquierda frente a la mano derecha y golpéala con suavidad como he señalado anteriormente (un golpecito por segundo, no más). Una vez que hayas asimilado bien este suave movimiento inténtalo en tu rostro y, más tarde, en el rostro de uno de tus allegados. La sensación ha de ser agradable.

Nota: más fácil de practicar por mujeres que por hombres, a los que la mera idea de "flexibilidad de la muñeca" les parece difícil de asimilar, recuerda que no se trata de *golpear* con un gesto voluntario: debes emplear tan sólo el *efecto rebote* de la muñeca. Con un poco de entrenamiento, incluso vosotros, señores, lo conseguiréis.

El masaje de la frente: una rápida sesión revitalizadora

A continuación, una aplicación práctica de lo que acabo de explicar. En treinta segundos podrás ponerte en forma y eliminar el estrés.

En ti mismo

Colócate ante un espejo. Cuando hayas adquirido algo de práctica, no será necesario. Aparta el cabello con una mano. Con la otra, con los dedos haciendo martillo, golpetea suave y regularmente toda la frente, desde el centro hasta los lados pasando por las sienes, sin olvidar ninguna zona. Insiste en las cejas, la línea mediana y el nacimiento del cabello.

En otra persona

La persona permanece sentada, con la espalda bien apoyada en el respaldo de la silla y las manos relajadas sobre las rodillas. Colócate de pie frente a ella. Con una mano aparta los cabellos que caigan sobre el rostro; con la otra, efectúa la siguiente estimulación: golpetea suavemente, con un movimiento regular, toda la extensión de la frente. Puedes empezar en el centro, y luego recorrer los lados y las sienes. Lo importante es pasar por todas las zonas sin "golpear" nunca con un movimiento contundente. Ha de ser suave y flexible.

Este masaje tiene mucho éxito. Es agradable, te deja relajado, descansado y vigorizado; despeja la mente. En treinta segundos obtienes los beneficios de una siesta.

La elección de los puntos reflejos

Ahora sabes cómo practicar la estimulación. Te sientes, sin embargo, un tanto superado por la aparente complejidad de los diversos diagramas de puntos y zonas reflejas, y te preguntas cómo elegir entre todos ellos los que resultarán eficaces en tu caso.

Es cierto que en razón de numerosas correspondencias entre puntos, zonas reflexógenas, órganos, partes del cuerpo, funciones, etc., existe un número infinito de posibilidades de estimulación. Además, cada punto del rostro puede establecer correspondencia con muchos órganos y funciones. Pero tranquilo: la acción sólo se ejercerá en el órgano o la función afectados. Para ello, otorga tu confianza a la sabiduría de tu organismo.

Por lo tanto, ¿cómo establecer un "plan de masaje", especialmente si somos principiantes?

Hay diferentes maneras de determinar las zonas de masaje; entre todas ellas, te recomiendo (salvo si ejerces como profesional de la salud) que te atengas a los diagramas básicos (1, 2, 3, 9 y10):

1) Según los puntos reflejos "vivos"

Basándonos en los puntos sintomáticos, dolorosos, que se revelan al presionarlos con los dedos o al contacto con un utensilio determinado (bolígrafo, punta de acero o cristal, rodillo, "flor de ciruelo", martillo de caucho, etc.) cuando lo deslizamos por el rostro. Estos puntos sensibles se denominan "puntos vivos": pueden "aspirar" el calor de una moxa (bastoncillo o cono de artemisa empleado en acupuntura) colocado encima de ellos. Sólo aparecen en función de una perturbación orgánica. Los más habituales están catalogados en el mapa de puntos (pero hay otros muchos). En la práctica, esto significa que si descubres un punto doloroso al margen de los mencionados en el diagrama 1, nada te impide estimularlo: sin duda alguna guarda relación con uno u otro de tus problemas.

Lo mismo sucede en acupuntura con los puntos dolorosos que reflejan una perturbación, un órgano afectado, un desarreglo energético, una inflamación...

2) Según los puntos catalogados por su función

Dependiendo del caso o de sus indicaciones, podemos elegir directamente los puntos conocidos por sus funciones y sus relaciones con los órganos, sin que sea preciso buscar la eventual sensibilidad. A veces basta con sólo uno o dos puntos para solucionar el problema.

3) Según los diagramas de proyección de los órganos y el esqueleto

Es la elección más simple para los principiantes. Es suficiente con conocer las zonas reflejas del rostro en relación con las diferentes partes del cuerpo y los órganos internos, y estimular la zona en cuestión en función del problema, sin que haya necesidad, por lo tanto, de conocer los puntos reflejos. Esto permite atender eficazmente las dolencias crónicas complejas, porque cada punto posee decenas de funciones y puede actuar en muchos órganos, si bien su prioridad será el órgano enfermo.

Por otra parte, cuando se estimula una zona refleja pasamos al mismo tiempo sobre muchos puntos (recuerda que existen casi seiscientos en el rostro, aun cuando en este método apenas he conservado sesenta).

Tomemos el ejemplo de un bloqueo a la altura de las cervicales: la zona refleja afectada se ubica entre los ojos y las cejas. Estimularla bastará para distender la tortícolis. El conocimiento de los puntos catalogados permite estimular los puntos pertinentes (26, 8, 106, 34 y 61), demorándose en los dolorosos. Las cervicales se alivian en un momento, sin que sea necesaria manipulación alguna de la columna vertebral: un sueño hecho realidad para los osteópatas, etiópatas y quinesoterapeutas, que de este modo aliviarán eficazmente a sus pacientes sin hacerles correr riesgo alguno, sin cansancio y en un breve lapso (ahorro de tiempo y energía).

El conocimiento de las zonas reflejas facilita la curación de dolencias recientes, sencillas, que presentan síntomas obvios: dolores, bloqueos, dolor de cabeza, migraña, etc.

4) Según la acupuntura y la energética china

Esta elección de puntos reflejos está reservada a los acupuntores y terapeutas especializados en energética china. Hay que tener en cuenta el hecho de que todos los meridianos yang atraviesan el rostro (es la parte del cuerpo que mejor resiste un frío glacial). Lo mismo ocurre con los dos principales vasos: el Vaso Rector *–Tou-Mo–*, que asciende a lo largo de la columna vertebral y desciende por la frente, atraviesa el caballete de la nariz y se detiene en el labio superior a la altura de la encía, y el Vaso

Concepción *–Jen-Mo–*, que empieza por encima del pubis y termina debajo del labio inferior, encima del mentón. Puesto que algunos puntos reflejos del Dien' Cham' también son puntos de acupuntura, el conocimiento de la energética china permitirá tratar la causa de los problemas en función del pulso chino, del conocimiento de los meridianos y los puntos afectados.

Nota: el empleo de agujas en el rostro es de una gran eficacia, pero puede ser peligroso e incluso mortal en personas sin experiencia. Esta técnica está **obligatoriamente** reservada a los terapeutas que hayan recibido una larga formación junto al profesor Bui Quoc Chau. Por el contrario, la estimulación con un instrumento como el dedo, el extremo redondo de un bolígrafo, el rodillo u otro utensilio adaptado es inofensiva.

5) Según la medicina clásica

Reservado sólo a los médicos. En función de su diagnóstico pueden escoger los puntos reflejos conocidos por sus propiedades dependiendo de los casos que se presenten. Los resultados dependen de su conocimiento de los puntos reflejos y su experiencia en este campo.

6) Según una fórmula propuesta en el diccionario terapéutico

Basta con referirse a las fórmulas establecidas experimentalmente respecto a cada caso ya curado mediante ese medio. Estas fórmulas son, en general, eficaces. No en todos los casos, sin embargo, porque las causas son múltiples y conviene adaptarlas a nuestras necesidades. Para empezar las utilizaremos profusamente, mientras aún no hemos adquirido la necesaria experiencia y un conocimiento suficiente de cada punto reflejo. Para ello te remito al capítulo 6 del segundo tomo.

7) Aplicando el método de elección de puntos explicado en el método personalizado

Dedicaré un capítulo completo a esta técnica de Dien' Cham' avanzado, a la que podrás recurrir en cuanto tengas una cierta práctica. La encontrarás desarrollada en el capítulo 7 del segundo tomo. Te permitirá probar cada punto a fin de determinar cuál o cuáles serán más eficaces en cada momento –lo que puede cambiar de un día para otro, o de una semana a otra–. Este procedimiento optimizará tus sesiones. Así, los terapeutas pueden componer una ficha personalizada que facilitarán a sus pacientes para que éstos practiquen su sesión cotidiana. Te será muy útil aplicado en ti mismo y en otros.

Puntos dolorosos y puntos "mudos"

En acupuntura se tienen en cuenta dos tipos de puntos: los muy sensibles y los "mudos", es decir, insensibles. El punto mudo se encuentra, por norma general, incluido en un punto o zona muy sensible: es el punto de acción óptimo que responde al adagio del Dien' Cham según el cual:

> *"En la zona del punto doloroso hay un punto no doloroso".*

Ambas categorías son valiosas tanto en el ámbito del diagnóstico como de la terapia. Si los especialistas en terapia facial conceden prioridad a la búsqueda de puntos no dolorosos, considerados los más activos entre todos los puntos de correspondencia posibles, esto no ha de ser exclusivo.

En la práctica basta que busques los puntos recomendados, en función de lo que precede, y estimularlos conjuntamente para obtener buenos resultados.

Signos reveladores de un cambio en el estado de salud

El conocimiento de la reflexología facial puede, asimismo, favorecer una acción preventiva eficaz llamando tu atención sobre ciertos signos susceptibles de manifestarse en el rostro como indicadores de una posible perturbación. Es interesante, por lo tanto, advertir cualquier cambio y tratarlo en cuanto sea posible: su desaparición irá pareja al regreso a la normalidad de esa parte del cuerpo o de la función alterada.

Hay tres posibilidades de reconocer esas señales (la tercera se reserva a los profesionales):

Señales reveladas por el examen

Grano, verruga, arrugas, color y tonalidad de la piel, piel grasa o seca, poros dilatados, temperatura epitelial en relación con zonas vecinas, cambio de textura o elasticidad de la piel en un lugar concreto, hinchazón o depresión, modificación de la forma ósea o de los músculos, contracción muscular, aparente estado congestivo, acné rosácea, despigmentación, vellosidad anormal, transpiración, etc.

Señales percibidas por el propio paciente

Sensación de molestia, dolor, punzadas, sequedad (piel tirante), parestesia o pérdida de sensibilidad local, sensación de quemazón o picazón, espasmos; todo ello tanto si se siente sobre la piel o bajo ella.

Señales detectadas con la ayuda de instrumentos

Temperatura local, resistencia eléctrica de la piel, medición electromagnética de zonas y puntos reflejos, fotografía Kirlian, etc.: todo procedimiento capaz de evidenciar cualquier anomalía, ya sea por exceso o por defecto respecto a las zonas circundantes de la piel.

Todas estas señales pueden revelar un cambio de naturaleza patológica a punto de manifestarse. Pueden aparecer como precursoras de una dolencia (lo que permite una acción preventiva eficaz), o como indicadoras de una enfermedad que se está desarrollando o del mal funcionamiento de un órgano. Al margen de ello, será bueno tenerlo en cuenta.

A menudo esas señales presentan una analogía con la patología presente y proporcionan indicaciones sobre su gravedad o localización.

Uno de estos signos, muy interesante, es la determinación de un punto "blando", es decir, que presenta una falta de consistencia en relación con la piel circundante. Al estimular ese punto tenemos la sensación de hundirnos en la piel sin encontrar la resistencia habitual. Hay que estimularlo aunque no sea doloroso (el grado de falta de resistencia de la piel se corresponde con la gravedad del problema). Cuando se trata la dificultad, la señal desaparece. Advierto que esta constatación es válida sobre todo para las dolencias agudas y que no siempre es aplicable a los estados crónicos.

Simetría

En este aspecto no hay ningún problema: todo es simétrico. Los órganos situados a la derecha se encuentran en el lado derecho del rostro, mientras que los situados a la izquierda se hallan a la izquierda.

Ni siquiera parece haber inversión en los zurdos; si lo eres puedes realizar una sencilla prueba: verifica en qué lado encuentras el punto sensible que te corresponde. Así, si te duele el tobillo derecho y el punto sensible se sitúa a la izquierda, masajea este último.

El ritmo de las sesiones

En el caso de una persona que goza de buena salud, no padece ningún trastorno y se siente en forma, basta una sesión dos o tres veces por semana para mantener un buen flujo energético. Si estamos relajados y el *chi* circula bien, jamás caeremos enfermos. Sin embargo, es una lástima esperar a que la situación se degrade para intervenir: ¡más vale prevenir que curar!

Evita que el dolor arraigue:

- *es mucho más fácil eliminar un dolor reciente que otro bien arraigado, y*
- *un dolor permanente puede convertirse fácilmente en una verdadera enfermedad.*

Al levantarse

Iniciar la jornada con la breve sesión básica (duración: en torno a un minuto) que describiré más adelante vale mucho más que un café. Te pondrá en forma y hará que arranques el día lleno de vitalidad. Te sentirás a un tiempo relajado y a gusto con tu propio cuerpo.

Al acostarse

Puesto que el hecho de relajar el sistema nervioso y disipar la fatiga derivada de la jornada laboral o de diversas actividades generalmente es suficiente para evitar que la dolencia arraigue, ¿por qué no proporcionarte, cada noche, una buena sesión de Dien' Cham', igual que te das una ducha? Será una práctica higiénica muy positiva tanto para tu salud como para las relaciones humanas en general porque, restableciendo el adecuado nivel energético, recuperarás el gusto por una velada familiar o entre amigos sin que un cansancio intempestivo venga a molestarte.

Cuidados de la piel

Recomiendo a las mujeres que practiquen su sesión antes de los cuidados de la piel, por la mañana y por la noche: este masaje estimula agradablemente la circulación periférica del rostro, lo que permite a la piel absorber mejor las cremas, lociones y productos diversos. El Dien' Cham' es, asimismo, un excelente antiarrugas natural.

Cada vez que sea necesario

En realidad habría que adquirir el "reflejo Dien' Cham'", de modo que lo aplicáramos de inmediato a la menor señal de dolor o perturbación. ¿Sientes cómo despunta un dolor de cabeza? Treinta segundos bastan para hacerlo desaparecer antes de que tome cuerpo. ¿Te duele la espalda después de unas horas pasadas ante el ordenador? ¿Te pican los ojos y los documentos se difuminan en la mesa del despacho? Algunos puntos discretamente estimulados con ayuda de un bolígrafo ponen las cosas en su lugar. ¿Percibes la llegada de un catarro? Treinta segundos de masaje a las primeras señales –sin esperar el constipado nasal– resuelven el problema.

Más aún cuando, como ya has comprendido, el masaje puede practicarse en cualquier parte, discretamente, y con los utensilios que tengamos más a mano. Nada te impide aislarte unos momentos para practicarlo, ni siquiera en la oficina.

Lo importante es comprender que cuanto antes se restablezca un buen flujo de la energía –esto es, desde la aparición del primer síntoma–, mejor es el resultado... y menos sesiones tendrás que hacer. Para poner un ejemplo, la bronquitis crónica puede tratarse (es decir, erradicar definitivamente los síntomas) en dos o tres sesiones, a veces cuatro: depende del estado de la persona. El tratamiento en profundidad puede precisar muchas sesiones suplementarias, destinadas a perfeccionar el flujo energético y el "calentamiento" del organismo.

En caso de dolencias agudas podemos comenzar por dos, tres o más sesiones en el transcurso de un mismo día. Después le toca a la propia persona decidir el ritmo de las sesiones.

Un ejemplo: el catarro nasal

Pongamos como ejemplo el simple catarro nasal. Si estás un poco atento a lo que ocurre en tu organismo, reconocerás los signos precursores: un ligero embotamiento, la garganta levemente irritada, la nariz seca o con picores, la sensación de no respirar del todo bien... Lo ideal es actuar en cuanto detectes estos indicios, sin esperar a volver a casa: ¡tal vez sea demasiado tarde! No te impongas excusas del tipo:

— No tengo mi utensilio favorito.
— Prefiero tener el libro conmigo, para estar seguro...
— Esperaré a volver a casa esta noche...

Podemos apostar a que en ese momento tu nariz habrá empezado a gotear, y en ese caso ya nada la detendrá; como mucho podremos aliviarla. Por el contrario, reservarte treinta escasos segundos desde el principio habría bastado para evitarte muchos días de malestar.

Recuerdo un día en el que de pronto sentí los primeros síntomas de un resfriado. Aún hacía calor aquel otoño y había conducido con las ventanillas bajadas. Me dirigía a un salón de medicinas naturales en Ginebra, donde iba a pasar algunos días impartiendo conferencias y firmando libros. ¡Imaginaos el cuadro si me presento con la nariz enrojecida y congestionada! Me detuve en la siguiente área de servicio de la autopista y practiqué una breve estimulación con la mera ayuda de los dedos. En menos de un minuto había desaparecido todo síntoma incipiente y volví tranquila a mi camino. En casos como éste basta una sola sesión. ¿Conoces algo mejor para deshacerte de un resfriado?

Otro ejemplo: la ciática

En algunos casos es necesario practicar muchas sesiones al día, a petición del interesado. Lo importante es escuchar al propio cuerpo: si precisa un masaje, sabe cómo requerirlo.

Tomemos como ejemplo una ciática; ¿conoces ese dolor agudo y punzante que parte de la nalga y se extiende a lo largo de la pierna? El Dien' Cham' alivia rápidamente la ciática, aunque con frecuencia sea necesaria más de una sesión. En este caso las zonas reflejas son especialmente dolorosas y en las primeras sesiones apenas se soporta un masaje de veinte segundos. Por el contrario, es posible repetir esos veinte segundos muchas veces en la primera media hora, hasta el alivio real, que se prolonga al menos durante cuatro horas. Actúa en cuanto el dolor despierte: esta vez es casi seguro que resistirás mejor el masaje y bastará un minuto para que la situación mejore ostensiblemente. Empieza cada cuatro horas, o según el ritmo que dicte tu cuerpo, hasta la desaparición completa del problema. Como es obvio esto no te dispensa de visitar al osteópata. Pero al menos podrás ir a verlo sin recurrir a los antiinflamatorios y soportarás mejor la manipulación a que te someta.

En algunos casos el Dien' Cham' es suficiente para resolver el problema sin otra intervención.

La duración de las sesiones

No existe una regla general. Pueden bastar diez golpecitos de bolígrafo, aunque a veces no es suficiente. Podemos establecer una sesión más o menos larga, aunque mi práctica me inclina a preferir sesiones breves repetidas antes que una más larga: en realidad todo depende del caso y de la rapidez con que sobrevenga el alivio. Digamos, resumiendo, que en la mayoría de las ocasiones dos o tres minutos son más que suficientes, a veces incluso menos.

Si no se padece una patología concreta, basta practicar la sesión básica descrita más adelante, que apenas nos ocupará unos treinta segundos, para mantener un óptimo flujo de la energía. Esta misma sesión puede repetirse a lo largo del día si estamos cansados o tras haber sufrido fuertes tensiones. Rápidamente todo vuelve a ser como antes y adviene la calma.

En cuanto se manifiesta un síntoma (dolor o enfermedad): ¡estimula!
Al efectuar el tratamiento de inmediato:

– no das tiempo a que los obstáculos se consoliden, y
– activas el sistema natural de autocuración del organismo.

Un caso especial: el lumbago

Es la única dolencia habitual cuya sesión durará más de dos o tres minutos. Si una mañana te despiertas inmovilizado en la cama sin lograr levantarte a causa del dolor, el Dien' Cham' te será de gran ayuda... pero sólo tras diez minutos de masaje en la frente. Remítete a las zonas indicadas en el diccionario práctico (segundo tomo) o al final de este capítulo, pág. 147, y ármate de paciencia unos momentos. En general es suficiente con una sola sesión a condición de que ésta se aplique correctamente: te toca elegir entre tu dolor de espalda... y tu frente.

En la práctica

Como término medio, ten en cuenta que una docena de barridos de la zona o punto bastan en la mayoría de las ocasiones. Adáptate al resultado obtenido.

Si una zona o punto es muy sensible, es preferible no efectuar más de tres o cuatro barridos, pero lo suficientemente penetrantes para ser eficaces, aunque haya que volver a empezar al cabo de pocos minutos. He conseguido obtener resultados en personas muy debilitadas con sólo dos o tres barridos de las zonas pertinentes.

Confía en el resultado obtenido, ¡o en la falta de resultado! El alivio ha de ser inmediato o casi inmediato; si no es así, esto puede significar dos cosas:

— Una mala elección de las zonas y puntos.
— Una presión insuficiente.

A veces hay que esperar cinco o diez minutos para que el resultado se manifieste claramente. Por ello acostumbro a conversar con la persona un rato después de la sesión: el tiempo requerido para observar los resultados. Si nada ha cambiado al cabo de cinco o diez minutos, vuelve a empezar la sesión, elige otras zonas reflejas... y acaso presiona con algo más de fuerza.

¿Qué presión ejercer?

Es difícil responder a esta pregunta por escrito: desde luego, es mucho más sencillo mostrarlo. A pesar de todo, intentémoslo:

— Prueba en tu mano la técnica de la fricción y el pulido de los puntos descrita anteriormente: presiona sin ocasionar dolor, lo suficiente para sentir la presión ejercida. Hasta ahí, todo parece ir bien.
— Ahora realiza la misma operación en cualquier zona de tu rostro, ante un espejo, tratando de aplicar la misma presión. Si tienes alguna duda, vuelve a la mano y empieza de nuevo.

¿Qué sientes? Probablemente la sorpresa desagradable de comprobar que lo que parecía inocuo en la mano es mucho más ingrato en el rostro. Cierto: el rostro es muy sensible, sobre todo en las primeras sesiones.

Para consolarte te diré que generalmente la primera sesión es la peor –la energía nunca ha sido estimulada en esa región– y que las siguientes serán progresivamente menos desagradables a medida que mejore tu estado. Ajusta, pues, la presión en función de tus observaciones y la duración de las sesiones: comprobarás cómo enseguida la estimulación se vuelve menos molesta, lo que te abrirá la posibilidad de un trabajo más profundo.

El rostro se puede comparar a una planta de interior descuidada

De pronto te percatas de que has olvidado regarla durante mucho tiempo y tienes la tentación de verterle un gran jarro de agua para compensar la carencia. Además, te parece que tiene mal aspecto y que tal vez habría que aprovechar para ponerle abono.
Un buen jardinero te dirá que eso es exactamente lo que no hay que hacer. El abono en una planta sedienta puede quemarla; por el contrario, conviene humedecerla poco a poco, sin anegarla –lo que la afectaría y debilitaría más.
Ocurre lo mismo con el rostro en las primeras sesiones: aplícalas suave y progresivamente.

Esa pequeña experiencia te ayudará a comprender fácilmente que es preferible ajustar la presión en función del estado de tu paciente (¡que nunca lo es tanto como ahora!); el trabajo en una persona débil y enflaquecida precisa, al menos al principio, de una presión leve. Emplea el sentido común: es evidente que no estimularemos de igual modo a un bebé, a un anciano consumido o a un musculoso deportista de alto nivel.

Todas las enfermedades tienen su origen en una mala circulación de la energía

Si sólo queremos curar el órgano enfermo, nunca nos curaremos realmente.
La verdadera curación únicamente puede ser holística, es decir, involucra al ser en su totalidad.
Hemos de aprender a cuidar de nuestro organismo en su conjunto y no sólo en función de las partes debilitadas: ¡los resultados no se harán esperar!

Precauciones y contraindicaciones

Hay pocas contraindicaciones para el Dien' Cham', pero es importante tenerlas presentes.

El embarazo

Como toda manipulación energética y toda reflexología, el Dien' Cham' ha de ser usado con prudencia y discernimiento en las mujeres embarazadas. Este período de gran conmoción fisiológica debería respetarse en la medida de lo posible. Sin embargo, en caso de dolencia es mejor estimular algunos puntos –comprobando antes, en el capítulo 4 de esta sección, que no están prohibidos en ese caso– antes que tomar medicamentos (en ese capítulo, dedicado a los puntos reflejos, las eventuales contraindicaciones están claramente señaladas).

Hay puntos y zonas reflejas de gran utilidad en el momento del parto, pues favorecen la dilatación y aceleran la expulsión. Por el contrario, es obvio que esos mismos puntos, practicados en el transcurso del embarazo, pueden provocar un aborto o un parto prematuro. Por lo tanto, sé prudente cuando se trata de una futura mamá. Incluso la sesión básica, a excepción de ciertos puntos de relajación, se desaconseja en este caso.

En cuanto a las zonas reflejas, la regla es la misma: evita meticulosamente las correspondientes a los órganos genitales y la pelvis; y como precaución añadida, obvia simplemente toda estimulación del rostro, salvo en caso de verdadera necesidad.

Regla básica número 5

Evita practicar la reflexología en el transcurso de un embarazo (salvo en el momento del parto).
Si has de practicarla, comprueba que los puntos que quieres estimular no están contraindicados en este caso.

Hipertensión e hipotensión

El Dien' Cham' es muy eficaz en ambas situaciones: un masaje de uno o dos minutos, cuando las zonas y puntos están bien escogidos, puede subir o bajar la tensión entre tres y cuatro puntos.

Evidentemente, en caso de error corremos el riesgo de ver cómo de pronto un paciente hipertenso, al que hemos estimulado en los puntos que hacen subir la tensión, enrojece y empieza a transpirar, o cómo una mujer hipotensa, cuya tensión hemos bajado rápidamente, empalidece y se marea.

En ambos casos es importante comprobar las advertencias del capítulo 4.

Como siempre es posible incurrir en un error, la técnica de masaje indicada ha incorporado una precaución: el recurso habitual y frecuente de la estimulación de la zona que rodea al punto 0; es decir, la fricción de la línea situada justo delante de las orejas, de la base del lóbulo al punto de confluencia de la parte superior de la oreja y el rostro. Observarás que toda sesión –y a veces en el transcurso de ella– concluye con la estimulación de esa zona (en ocasiones llamada "punto 0" en aras de la simplificación). Esta zona refleja, que tiene muchas propiedades, también presenta la de regular los excesos y carencias que hayamos podido provocar a lo largo de una sesión. La costumbre de volver y terminar siempre en ella te protege de eventuales errores, incluidos lo que puedan producirse en el caso de la hipotensión y de la hipertensión.

Por lo tanto, si de pronto un paciente enrojece o palidece a consecuencia de un error de este tipo, no temas: estimula con fuerza la zona que rodea al punto 0 y enseguida todo volverá a la normalidad.

Regla básica número 6

Termina siempre tu sesión, aun la más breve, en la zona situada delante de la oreja y conocida como zona o punto 0.

Bótox, *piercing*, *peeling* y tatuajes

Gracias a esta información, que enseguida completarás (véase el capítulo 4, que señala las correspondencias de los puntos de Dien' Cham'), creo que tal vez mostrarás menos entusiasmo ante las diversas intervenciones, cada vez más habituales, en el campo de los cuidados estéticos contemporáneos, que, tal como sospechas, en realidad no son tan inofensivas como quieren hacernos creer.

Bótox

Es la conocida toxina botúlica que, recordémoslo, ¡está clasificada entre las armas de destrucción masiva! ¡Fijaos hasta qué punto es "inofensiva"! Su acción es paralizante, lo que permite una regresión de las arrugas de la expresión (ya no PODRÁS fruncir el ceño ni esa zona que, cuando reímos, se pliega deliciosamente en el rabillo del ojo).

Ahora bien, en la actualidad es de buen tono hacerse inyectar reiteradamente algunas gotas de toxina botúlica en los lugares del rostro más susceptibles de sufrir arrugas de expresión, a saber:

— la zona situada entre las cejas, en el nacimiento de la nariz (punto 26 y alrededores);
— en torno a los ojos (puntos 60, 130, 100, 180, etc.);
— alrededor de la boca y en el labio superior (puntos 38, 17, 113, 7, 63, pero también 85, 6, 61, 39, 38 y 50).

Dicho de otro modo: zonas de una extremada sensibilidad y muy reflexógenas, que presentan –además de sus correspondencias orgánicas y óseas– múltiples correspondencias nerviosas y hormonales.

Realmente podemos preguntarnos los peligros que, con los años, se derivan de ello: ¡quizá numerosas patologías que nadie asociará a la presencia constante de la toxina!

Piercing

Desde hace tiempo muchos terapeutas desaconsejan a los padres horadar las orejas de sus hijas pequeñas para no perturbar el frágil equilibrio energético de las importantes zonas reflejas situadas en el lóbulo (fundamentalmente zonas reflejas de la cabeza y del sistema nervioso).

En la actualidad, el mero pendiente es cosa del pasado: se multiplican en las orejas, en los labios (una zona muy delicada, con sus correspondencias digestivas y hormonales), pero también en la punta de la nariz (lee las correspondencias de los puntos 19 y 143), en las aletas nasales (mira los puntos 64, 74 y 61), en el rabillo del ojo (puntos 60, 100, 130, 180, etc.). Cuando no se trata de la propia lengua, que también es una importante zona de proyecciones.

Antes de que vayan a hacerse el *piercing*, pide a tus hijos adolescentes que lean las correspondencias de las zonas que quieren "decorar". Quién sabe, tal vez se impondrá el sentido común...

Peeling

Me refiero al *peeling* profundo destinado a "borrar" las pequeñas arrugas adquiridas con los años y no a los simples *peelings* naturales que toda mujer –y ahora también muchos hombres– practican y cuya finalidad no es otra que la de desprenderse de las células muertas.

Si tienes en cuenta la riqueza extraordinaria de la superficie del rostro en cuanto a zonas reflexógenas, su compleja irrigación, sus abundantes terminaciones nerviosas extremadamente sensibles –con conexiones cerebrales directas–, hasta el punto de que el profesor Bui Quoc Chau denominó *terapia cibernética* a su método, tras comprobar que "el rostro es como el teclado de un ordenador: presionas una tecla y enseguida obtienes el efecto deseado"... Cuando compruebas el efecto obtenido en pocos segundos con la mera estimulación suave de zonas y puntos situados en el rostro..., ¿cómo hacerse una idea de los estragos que en la salud y la energía vital de una persona puede ocasionar un gesto tan traumático como el *peeling* profundo (que, por supuesto, se practica con anestesia)?

¿No sería preferible conservar esas arrugas –que son testimonio de las penas y alegrías de toda una vida– antes que arriesgarnos a arruinar irremisiblemente la salud? En caso de una enfermedad probada, ¿quién vinculará ambos hechos?

Más aún cuando la práctica del Dien' Cham' contribuye en gran medida a frenar la aparición de arrugas y a conservar un buen aspecto. ¡Sin riesgos!

Tatuajes

Aquí me refiero sobre todo al tatuaje alrededor de los labios y al de los ojos, bautizado como "maquillaje permanente". Desde luego, es muy práctico conservar el maquillaje de labios y ojos aun al salir de la piscina. Pero ¿vale la pena?

Piensa que, en unas zonas hipersensibles y vulnerables, se inyectan tintas con una fuerte dosis de colorantes y metales pesados (ése es el objetivo). Sin contar con el malestar infligido a esas zonas, repentinamente hiperestimuladas con múltiples picores.

Sin olvidar la moda actual de las inyecciones de colágeno destinadas a "hinchar" los labios que se consideran demasiado finos (tubo digestivo, intestinos...).

La sesión básica

He aquí que te encuentras en el umbral de tu primera sesión de Dien' Cham'. No tardarás más de treinta segundos, al final de los cuales deberías apreciar los efectos benéficos.

Esta sesión básica comprende la estimulación de puntos de relajación y tonificación. Es oportuna en cualquier situación. Toda sesión de Dien' Cham' debería comenzar con este preámbulo. A continuación la completarás con los eventuales puntos que se adapten a tu dolencia concreta.

Regla básica número 7

Recuerda:
- *Cada sesión y cada parte de ella terminan en el punto o zona 0, aun cuando ya lo hayas estimulado en el transcurso de la sesión.*
- *Cuenta entre doce y quince fricciones o barridos en cada punto.*

A menudo es más sencillo empezar a practicar en otra persona que seguir los consejos de este capítulo y al mismo tiempo consultar el diagrama correspondiente. Si no dispones del póster general plastificado que agrupa los principales diagramas (disponible en la misma editorial), hazte una fotocopia para no tener que buscar en el libro pasando incesantemente las páginas. Algunos de mis alumnos incluso se fabricaron un pequeño libro de bolsillo con un diagrama en cada página, lo que les permitía tenerlos siempre a mano.

Cuando empieces a practicar en ti mismo, es indispensable que lo hagas ante un espejo para asegurarte de la precisión de los puntos y zonas. Más tarde desarrollarás una sensibilidad que te permitirá ubicarlos correctamente incluso sin espejo.

Relajar

Puntos 124, 34, 26 y 0 (todos ellos se sitúan en la frente, con excepción del punto 0, emplazados delante de la oreja).

Puesto que los desórdenes del sistema nervioso se encuentran en el origen de toda dolencia, al margen de su gravedad, siempre empezamos relajando. Un sistema nervioso alterado ocasiona un estado de cansancio permanente, una tensión agotadora y una pérdida de energía que disminuye las defensas inmunitarias. En esta situación cualquier virus halla un terreno abonado y logra arraigarse. De ahí proceden la mayoría de las enfermedades.

— *Empieza por el punto 124* (situado por encima de las cejas, a media altura de la frente). Si trabajas en otra persona: mientras que la mano izquierda despeja la frente, la derecha, con los dedos extendidos, busca apoyo con el meñique y el anular para trabajar con los otros tres dedos. Fricciona el punto horizontalmente, siguiendo la curva de la frente, a lo largo de varios centímetros, con gestos amplios, procurando ejercer la suficiente presión. Realiza unos quince movimientos de fricción.
— *Prosigue con el punto 34* (en el nacimiento de las cejas): efectúa un barrido del punto unas quince veces, remontando un poco en la dirección de las cejas. Ejerce suficiente presión (este punto es excelente para quienes padecen problemas de insomnio).
— *Enseguida, estimula el punto 26* (situado justo en medio de las cejas): puedes limitarte a presionarlo con pequeños movimientos circulares o barrer la zona verticalmente con ayuda del bolígrafo.
— *Concluye esta primera fase en el punto 0* (delante de las orejas): éste termina sistemáticamente toda secuencia de puntos. Su acción reguladora permite compensar los eventuales errores (por ejemplo, estimular un punto de hipertensión cuando somos... hipertensos). Lo más sencillo es masajear enérgicamente, unas

veinte veces y en sentido vertical, toda la zona situada delante de la oreja.

Así concluye la primera fase.

Para recordar más fácilmente...

Observa que estos puntos adoptan aproximadamente la forma de una copa:

Tonificar

Puntos 127, 19, 26, 103, 126 y 0 (eje vertical mediano)

Estos puntos permiten la reactivación de la energía bloqueada o insuficiente, necesaria para la restauración de las defensas inmunitarias. Un organismo cansado, agotado, ya no puede defenderse. Por lo tanto, es importante liberar la energía bloqueada y estimular la primordial, la única capaz de restaurar las funciones y órganos deficientes.

—*Empieza por el punto 127* (en el centro del mentón): efectúa pequeños movimientos de barrido (preferentemente de arriba abajo, para una mejor tonificación), unas quince veces.

—*Prosigue con el punto 19* (justo bajo la nariz, en el centro): este punto reactiva la energía vital. No dudes en perseverar en caso de cansancio. Golpetéalo verticalmente, de arriba abajo.

Nota: el punto 19 está prohibido para las mujeres embarazadas (salvo en el momento del parto).

—*Vuelve durante unos momentos al punto 26* (entre las cejas).

—*A continuación le toca al 103* (en mitad de la frente): estimúlalo mediante pequeños movimientos de barrido efectuados de arriba abajo y pequeños movimientos de vaivén.

— *Le toca el turno al 126* (en el centro de la línea dibujada por el nacimiento del cabello): este punto también ha de ser barrido mediante pequeños movimientos realizados de arriba abajo, unas quince veces.
— *Termina, como siempre, en el punto 0* (muy pronto te acostumbrarás): masajea enérgicamente, unas veinte veces, esa zona situada delante de la oreja.

Para recordar más fácilmente...

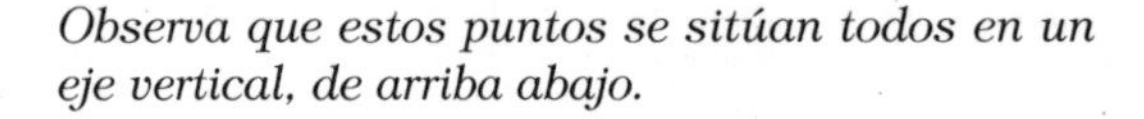
Observa que estos puntos se sitúan todos en un eje vertical, de arriba abajo.

Con estos dos procedimientos concluye la sesión básica; te aconsejo que la practiques al levantarte y al acostarte para ponerte en forma y eliminar el cansancio. Esta breve sesión se puede repetir cuando sea necesario a lo largo del día, si el cansancio o el estrés amenazan con minar tu resistencia.

No es extraño que esta mera sesión baste para suprimir problemas menores. Puedes practicarla acostado en la cama, sentado o de pie: importa poco. Enséñala a tus allegados y a tus hijos: les será de gran utilidad.

Aliviar

A continuación has de decidir los puntos y zonas reflejas que mejor se adapten al problema. Estimula aquellos que parezcan convenirte (al principio, remítete al capítulo 6 del segundo tomo), permaneciendo entre cinco y diez segundos en cada punto (una media de doce a quince barridos).

Recuerda: estimular excesivamente un punto no doloroso puede invertir el efecto; así, pasa rápidamente por las zonas no sensibles y concéntrate en las otras (para eso sirve la elección de zonas y puntos que correspondan a la misma función, al mismo órgano: quizá uno sea sensible y el otro no, lo que te indicará el camino que has de seguir). ¡Confía en tu organismo!

Termina siempre tu sesión en el punto 0, para equilibrarlo todo.

La sesión prototipo

Ahora ya sabes practicar una sesión básica. En este momento conviene añadir una relacionada con aquella dolencia que quieras curar o aliviar.

No obstante, para empezar te propongo esta breve sesión "general" que te servirá de modelo y responderá a preguntas como:

— ¿Por dónde empezar?
— ¿En qué orden hay que estimular las zonas?

En tu aprendizaje, empieza aprendiendo a localizar y masajear los puntos básicos de uso común. Es importante que los memorices para poder utilizarlos en cualquier tesitura. Es lo que haremos con esta sesión prototipo, válida en toda circunstancia puesto que incluye el conjunto de las funciones orgánicas. Por otra parte, si no padeces ningún problema concreto de salud, podrás practicar esta sesión una o dos veces a la semana: reactivará el conjunto de tus funciones y las mantendrá.

Los puntos de proximidad

Ya sabes que cada punto tiene muchas correspondencias. Recuerda, no obstante, las reglas siguientes:

Regla básica número 8

- *Cada punto actúa, en primera instancia, sobre el órgano de proximidad.*
- *A continuación actúa sobre el órgano enfermo.*

Retomando la imagen que ya he utilizado: si has olvidado regar tu planta y de pronto la encuentras a punto de secarse, ¿qué harás? La riegas con pequeñas cantidades al principio, para no agravar su estado... ¿Adónde se dirige el agua? ¿A las hojas amarillentas? ¿Al tallo, que pende flácido? ¿A las raíces? Te importa poco: sabes que necesita agua y que la propia planta la administrará del mejor modo posible para su supervivencia.

Con tu organismo ocurre exactamente lo mismo. Necesita energía y tú la liberas. ¡No tienes que hacer nada más: tu cuerpo se ocupa del resto!

En la práctica esto significa, por ejemplo, que los puntos situados alrededor de los ojos tendrán, en primer lugar, un efecto sobre la vista, y sólo después afectarán a sus otras correspondencias. Así, el punto 73, situado bajo el ojo, empieza calmando eventuales molestias oculares antes de actuar sobre los órganos de correspondencia, como los senos, el pecho, etc. Además, habrá una acción selectiva sobre la parte enferma y se eludirán las otras. Por lo tanto, tranquilízate y confía en la sabiduría de tu organismo y de ese verdadero ordenador que es tu rostro.

Resumen de algunos consejos prácticos

Antes de continuar, recuerda estas indicaciones que resumen el modo de proceder:

- *Para empezar, realiza un reconocimiento para localizar los puntos sensibles.*
- *No estimules mucho tiempo un punto no sensible.*
- *Permanece entre cinco y diez segundos en cada punto, a ser posible más tiempo.*
- *No establezcas un diagnóstico basándote únicamente en la sensibilidad de los puntos: no es tan simple y puede inducir a error. Así, una sensibilidad acentuada en el punto 37 (que corresponde al bazo) no implica necesariamente una alteración sanguínea o inmunitaria: puede significar un entumecimiento de las piernas al final del día.*

Práctica de la sesión prototipo

Centrémonos en la sesión prototipo y en los puntos básicos. Sólo señalaré las principales indicaciones, que por el momento bastarán. Cuando te resulten familiares, te remitirás al siguiente capítulo, en el que encontrarás todas las indicaciones útiles y las diversas correspondencias.

Es preferible estimular los puntos en el orden que señalo más adelante. Se trata de un orden lógico que tiene en cuenta su proximidad. Remítete al diagrama 1. Empieza por los puntos 50 y 41, para drenar el hígado. Persevera unos segundos, el tiempo de una decena de fricciones, y luego pasa a los siguientes. El proceso completo te llevará alrededor de... un minuto. Es decir, la práctica de la sesión te llevará mucho menos tiempo que la lectura de su descripción.

Regla básica número 9

Los puntos situados en la misma línea o en la misma zona pueden estimularse juntos, en el mismo barrido. ¡Un ahorro de tiempo!

En esta sesión hay un orden lógico:

En primer lugar: la sesión básica (relajar – tonificar). A continuación:

Comienza por las mejillas: la derecha y luego la izquierda:

50 Hígado (sólo la derecha): problemas digestivos, hinchazón del vientre, estreñimiento, detiene las hemorragias.

41 Vesícula biliar (incluso después de extirpada): colesterol, digestión, migrañas.
¡Estos dos puntos pueden estimularse con un mismo movimiento!

37 Bazo: circulación de la sangre y la energía, problemas digestivos, déficit inmunitario, entumecimiento de las piernas.

39 Estómago: trastornos digestivos, gastritis.
Estos dos puntos también se pueden estimular simultáneamente.

73 (En la parte dura del hueso) ojos, pulmones (tos), senos (mastitis), ovarios... *Estimula suavemente, girando: punto delicado.*

3 Pulmones, corazón (sólo a la izquierda). *Masajea horizontalmente hacia el exterior.*

A continuación desciende hasta el hueco de la aleta nasal y luego asciende por la nariz:

61 Pulmones, hígado, corazón, estómago, bazo/sinusitis, nariz congestionada, detiene las hemorragias, anestesia el dolor. Este punto suministra endorfinas naturales (con propiedades antálgicas y antiinflamatorias) y calienta la zona, detiene el goteo nasal (catarro).

8 Corazón, cervicales, garganta, tiroides, ralentiza las pulsaciones (taquicardia), baja la tensión, desbloquea las cervicales, suaviza el dolor de garganta. *Apóyate en la nariz y estimula en pequeños círculos.*

Ahora llegamos a la frente. No te sorprendas si volvemos a estimular puntos ya tratados. Son lo suficientemente importantes para que merezca la pena volver sobre ellos:

34 Hombros, brazos (prolongándolo a lo largo de las cejas, a partir del 34), ojos, sinus; relaja el sistema nervioso, insomnio (+124).

26 Cervicales, garganta, sinus, hipófisis, "tercer ojo", relaja la mente (niños hiperactivos); también puede estimularla, actúa sobre el equilibrio mental (no estimular demasiado); cefaleas.

106 Columna vertebral, cervicales, garganta, ojos, sinus.

103 Parte superior de la cabeza (26VG), hipófisis, columna vertebral, memoria; estimula los chakras.

126 Columna vertebral: lumbares, cóccix, ano (hemorroides).
Golpetea en la frente a lo largo de la línea del cabello.

342 Columna vertebral: lumbares (lumbago); dorsales (caballete de la nariz/cervicales: **26**).
Estimula los puntos **126** y **342** de arriba abajo con movimientos breves; a continuación presiónalos descendiendo la línea de la frente y de la nariz, remonta y acaba en el punto 0.

8, 106 Cervicales: masajea la zona 8-106, luego a lo largo de las cejas (si aparecen problemas de espalda y brazos).
Estos puntos se masajean verticalmente, juntos o por separado.

En caso de ciática: masajea las aletas nasales (nalgas), el contorno de las aletas (ingles) y el pliegue nasógeno.

Nos disponemos a abandonar la frente y descender por las sienes hacia la parte inferior del rostro:

124 Distiende el sistema nervioso.

180 Plexo solar (hacia la sien), migrañas; puede provocar transpiración (manos húmedas).

Nos encontramos en el labio superior, sembrado de puntos hormonales:

Los siguientes puntos se sitúan en el labio superior: puedes estimularlos conjuntamente mediante pequeños movimientos de barrido, vertical u horizontalmente:

19 Nariz, hígado, estómago, colon, bajo vientre. Reactiva y tonifica el corazón: estimula el punto en caso de enfermedad. Hace subir la tensión y la energía; dolor de estómago, estreñimiento,

corta el hipo, detiene los vómitos, provoca contracciones uterinas (prohibido a mujeres embarazadas).

63 Colon, páncreas, útero. Estreñimiento, digestión, dolores, mareos. Parto: provoca contracciones en el útero, detiene las hemorragias uterinas.

17 Glándulas suprarrenales, libera corticoides naturales (acción antiinflamatoria).

113 Páncreas (diabetes), ovarios, próstata, sexualidad, útero (eficaz en trastornos menstruales), cistitis, digestión.

7 Tiene las mismas propiedades que el **113**.

38 Rodillas (artrosis) / segrega antibióticos naturales (infecciones); problemas de rodillas: *estimula verticalmente ambos lados de la boca*.

Ahora estimularemos los puntos situados en el mentón:

127 Intestino delgado. Corresponde al Vaso Concepción Yin. Talón (en el centro, en el hoyuelo entre la boca y el mentón); dolores menstruales, menopausia, sexualidad en general. Colitis espasmódica, diarreas (estimular cuando ésta aparezca).
Los puntos situados en el mentón han de ser estimulados hacia abajo, verticalmente.

85 Uréteres, riñones: lados de la boca, a lo largo de la arruga; eliminación, retención de agua.

87 Vejiga, útero.

22 Vejiga.

51 Pies, dedos del pie (a lo largo del mentón); dedo gordo (centro del borde del mentón). *Hunde la punta en la parte alta y procede a la estimulación. También se puede masajear para alcanzar todos los puntos*. En caso de dolor de cabeza, generalmente la energía yang asciende a aquella: *estimular este punto hace descender la energía*.

365 Dedos del pie, ano, pies, intestino grueso.

Concluye en las zonas de la oreja:

16 Orejas; detiene toda pérdida excesiva de fluidos orgánicos, los excesos de humores: hemorragias (internas y externas), reglas abundantes debidas a la presencia de fibromas, etc.; transpiración excesiva, rinorrea (nariz goteante), lágrimas, etc.

14 (Delante del lóbulo) orejas, garganta, parótidas, tiroides (hipotiroides), sordera, otitis, salivación. Distiende las mandíbulas: *masajea horizontalmente tras las orejas*.

15 (En el hueco tras el lóbulo) oreja, mandíbulas. Baja la tensión de tres a cuatro puntos. Hipotiroides.
Masajear estos dos puntos horizontalmente y a continuación verticalmente (pulimento).

Finaliza, como siempre, en el punto 0:

0 Riñones, orejas, ojos, boca, nariz, columna vertebral. Advertencia: el propio punto 0 (tomado aisladamente) corresponde al plexo solar. Este punto regulador por el que hay que acabar siempre la estimulación regula la tensión (hipotensión e hipertensión) y aviva la energía primordial. En el caso de una persona debilitada, comienza por el punto 0.

La energía vital tiene tres fuentes

- *la energía primordial, sexual*
- *la alimentación*
- *la respiración*

¡Para conservar la salud, preserva la calidad de estas tres fuentes de vitalidad!

Algunos masajes especiales

La estimulación eficaz y simplificada de las zonas reflejas a veces implica una técnica especial. Se ilustran y describen más detalladamente en el capítulo 6 (segundo tomo). Remítete al problema señalado.

Estreñimiento

Este trastorno puede mejorar rápidamente estimulando los alrededores de la boca tal como indica la figura 24. Esta simple maniobra proporciona resultados excelentes incluso en los casos de un estreñimiento grave que se prolonga varios días: con dos dedos de la mano derecha (el índice y el dedo medio; el pulgar se apoya en el mentón), rodea la boca de derecha a izquierda –como indica el esquema–; a continuación, una vez llegado al centro del mentón, "suelta" con un gesto brusco hacia el exterior. Repite esta operación unas cincuenta veces.

Nota: si es preciso, puede repetirse durante el día.

Al levantarte, toma una gran taza de agua caliente, ligeramente salada, en ayunas.

Para recordar fácilmente el sentido del masaje, recurre una vez más a la analogía. Observa tu abdomen: el colon ascendente sube a la derecha, gira bajo el hígado (ángulo cólico derecho), luego el transverso atraviesa la parte superior del vientre hacia la izquierda, y el descendente baja por la izquierda del abdomen.

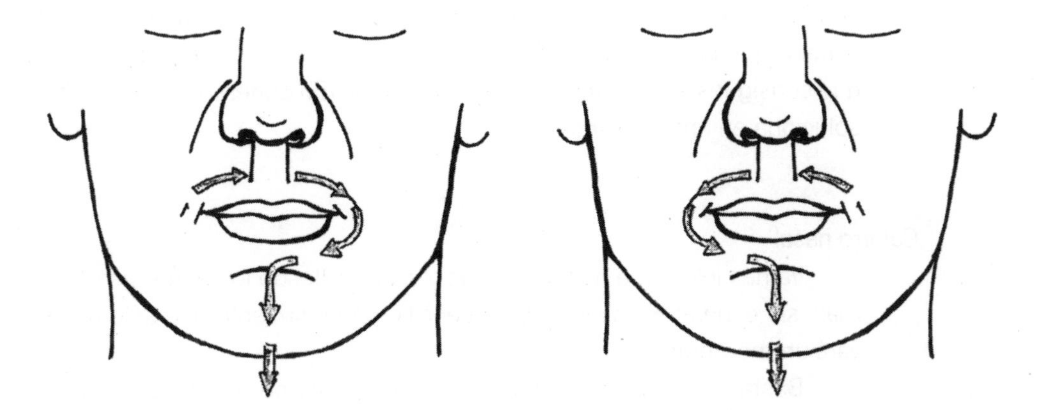

Figura 24
Sentido del masaje en caso de estreñimiento

Figura 25
Sentido del masaje en caso de diarrea

Recuerda lo que probablemente te enseñaba tu madre o tu abuela cuando te costaba ir al baño: te recomendaba que masajearas el vientre con la palma de la mano derecha, practicando grandes círculos que tenían que partir del bajo vientre a la derecha, remontar hacia las costillas, atravesar el abdomen hacia la izquierda, descender, ¡y vuelta a empezar!

Del mismo modo, en el rostro el colon ascendente sube a la derecha de la boca, señala el ángulo cólico derecho y gira sobre el labio superior, donde se convierte en colon transverso; luego el descendente baja hacia el mentón rodeando la boca por la izquierda. Concluye en el recto y el ano, proyectados en el mentón.

Si tienes presente esta analogía, nunca cometerás un error.

Diarrea

Empleamos el mismo masaje, pero en el sentido inverso respecto al anterior. El objetivo consiste en tratar de frenar la evacuación y no estimularla. El resultado es temporal, pero esta simple operación te permitirá ganar un tiempo precioso.

Parte de la base del abdomen a la derecha, sube por los lados a la izquierda, atraviesa el abdomen hacia la derecha y luego desciende hacia la parte baja de éste a la derecha. Siempre ejerciendo presión con los tres dedos.

Lumbago

Además de los puntos señalados en el capítulo 6 (segundo tomo), existe una zona especial que hay que estimular mucho tiempo: una media de diez minutos. La encontrarás sombreada de gris, en la figura 26. Por extraño que parezca, al cabo de ese lapso de tiempo te darás cuenta de que consigues levantarte sin demasiado dolor. ¡En general el problema se soluciona en una sola sesión!

Catarro nasal

Ya has leído que hay que tratar el catarro desde los primeros síntomas, sin esperar. Para ello hay un sencillo procedimiento que sólo te llevará un momento.

Basta con que estés cansado para que el frío penetre y se manifiesten los primeros síntomas de resfriado con goteo nasal, irritación de la garganta y estornudos. Hay que reactivar la energía desde el principio. Con ayuda de los índices, masajea vigorosamente las aletas nasales, las

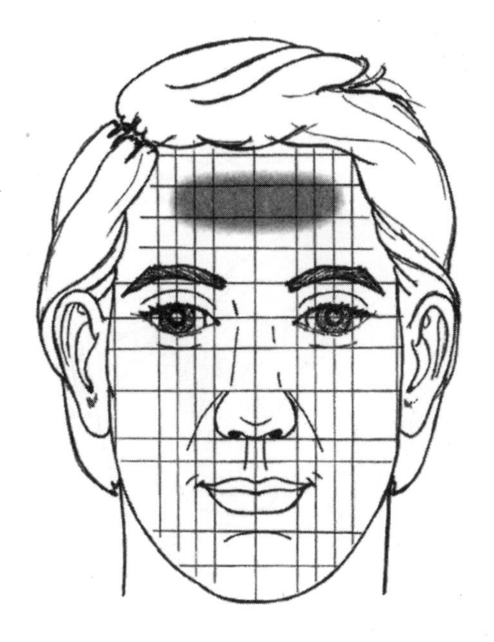

Figura 26
Lumbago

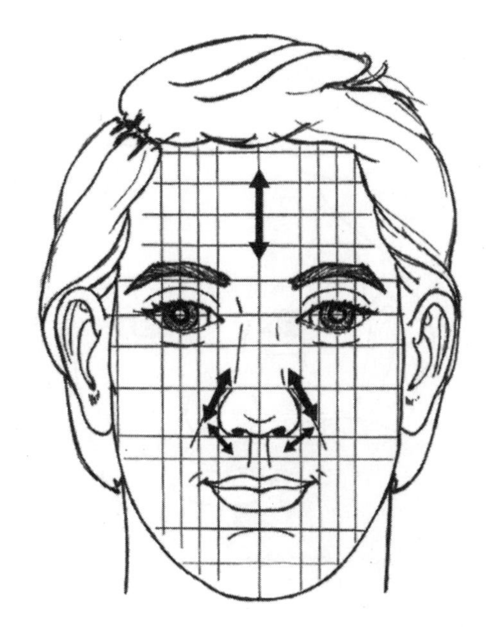

Figura 27
Catarro nasal incipiente

fosas y delante de las orejas, como en la figura 27. Con la articulación del pulgar doblada, masajea con fuerza el centro de la frente, a la altura de los puntos 106, 103 y 342. ¡Es inmediato!

Trastornos de la mujer: contracepción, dolores menstruales, frigidez, sequedad vaginal; pero también las consecuencias de una violación, etc.

La maniobra que consiste en la estimulación de los alrededores de los labios y la punta de la nariz supera las propiedades de su primera indicación: la contracepción. La encontrarás descrita en esa sección.

Si bien su naturaleza consiste en aliviar el dolor menstrual, también soluciona rápidamente las dificultades debidas a la sequedad vaginal tras la menopausia.

Método[1]

— Diez minutos antes de cada relación sexual e inmediatamente después; con el índice y el dedo medio de la mano derecha (preferentemente) fricciona el contorno de la boca unas doscientas veces (ni demasiado fuerte, para no hacerte daño, ni demasiado suave, lo que anularía la eficacia de la operación).

1. Método y esquema establecidos a partir del trabajo del profesor Bui Quoc Chau.

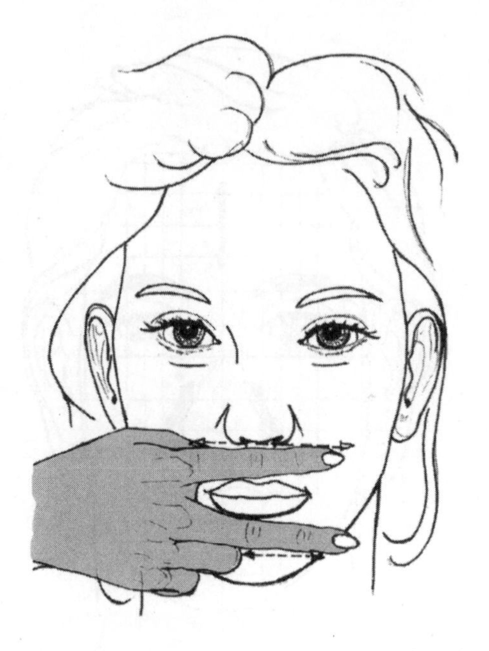

Figura 28
Dolencias de la mujer (primera parte)

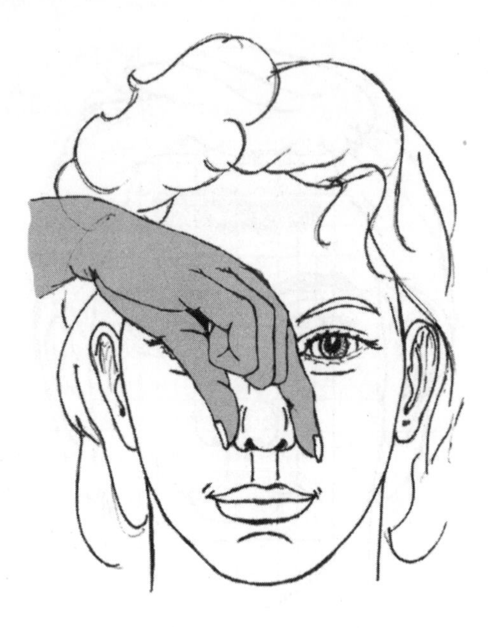

Figura 29
Dolencias de la mujer (segunda parte)

— Luego masajea las aletas nasales presionándolas ligeramente entre el pulgar y el índice alrededor de doscientas veces (tardarás dos o tres minutos). Presiónalas partiendo de la base, a ambos lados, y asciende por el caballete nasal con gestos rápidos.

Las zonas así estimuladas entran en calor. Este masaje facial procura una sensación de calor en la región pélvica, acompañada de una agradable excitación sexual. En cuanto al frecuente problema de sequedad vaginal, desaparecerá completamente.

Observación: estos indicios certifican la eficacia de la estimulación efectuada y garantizan un óptimo resultado. Su ausencia significa que la técnica ha sido mal empleada (por ejemplo, no has practicado el tiempo necesario o la presión ha sido insuficiente). A veces la ausencia de signos revela una frigidez que será fácil de tratar empleando el mismo método, pero en esta ocasión practicado diariamente durante un período prolongado hasta la obtención de un resultado satisfactorio.

NOTA

Este masaje provoca una fuerte contracción uterina que impide la nidación. Evitar en caso de embarazo (riesgo de aborto).

Las consecuencias de una violación

Otra valiosa indicación: las consecuencias de una violación. He tenido la ocasión de comprobar la eficacia de esta técnica con varias mujeres que han sido violadas. Lo más común es que experimenten grandes dificultades en su vida sentimental y una dispareunia problemática: intensos dolores que a veces impiden la relación sexual, imposibilidad física de toda relación debido a una fuerte contracción de la región, sequedad vaginal, etc.

En este caso, recomiendo practicar este masaje (descrito en **Contracepción**) en los instantes que preceden a la relación sexual. En general se comprueba una ligera mejoría tras el primer intento. En la mayoría de los casos bastan tres o cuatro masajes para que la situación se normalice. Es mucho más eficaz que el seguimiento de una larga psicoterapia... ¡y desde luego más barato!

4 Correspondencias de los puntos utilizados en este libro

Este capítulo está dedicado a las correspondencias, efectos y principales indicaciones de los puntos utilizados en este libro, considerados de manera aislada. Esto te permitirá, asimismo, situar fácilmente cada punto sin riesgo de error. También te será más sencillo consultar este capítulo que demorarte en buscar el punto que no encuentras en el diagrama 1. Por tanto, no estás obligado a leerlo en tus primeras tentativas (sería prematuro), y aún menos tratar de memorizar toda la información que aquí se ofrece.

Mi intención ha sido que este libro sea un método completo; por eso se facilita el método simplificado del Dien' Cham', destinado a principiantes (capítulos 1, 2, 3 y 6), y elementos de Dien' Cham' avanzado para aquellos que lo deseen (capítulos 4, 7 y 8), destinados sobre todo a terapeutas y profesionales de la salud (pero no exclusivamente para ellos).

Recuerda que la terapia facial incluye más de quinientos puntos reflejos, sólo en el rostro, mientras que el Dien' Cham únicamente ha conservado cincuenta y siete. Mantengo, no obstante, los números tradicionalmente atribuidos a los diversos puntos para evitar toda confusión. No te sorprendas de no encontrarlos todos catalogados y de saltar, repentinamente, del 365 al... 461.

Al contrario que otras reflexologías, cada punto posee muchas correspondencias y múltiples efectos. El Dien' Cham' tradicional emplea más de veintidós diagramas diferentes de proyección del cuerpo en el rostro; aquí también me he limitado a lo esencial.

Para cada punto, encontrarás indicados:

— **sus diversas correspondencias, en negrita**

— sus efectos
— sus principales indicaciones (en general son muchas)
— *en cursiva, consejos para el masaje: sentido, modo de estimulación, etc.*

Cada punto está acompañado de un esquema que permite su precisa ubicación, sin margen de error.

0 - Plexo solar, riñones, orejas, ojos, boca, nariz, columna vertebral, glándulas suprarrenales, brazos, piernas, órganos genitales, estómago

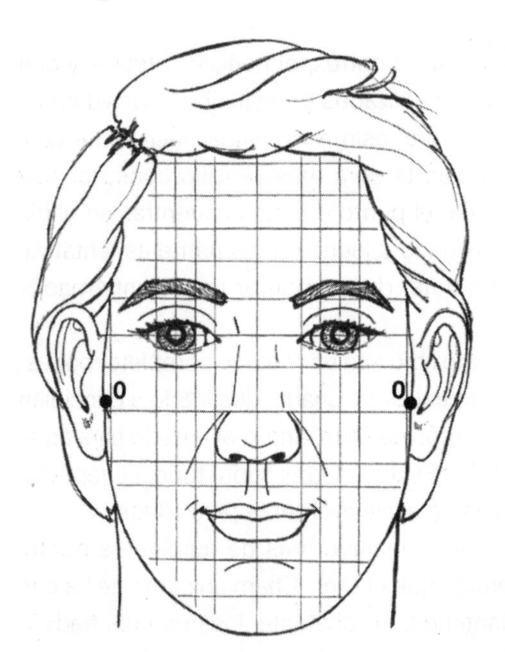

Este punto, en el que a menudo se inicia la sesión –sobre todo en el caso de una persona cansada o debilitada–, es siempre aquel en el que termina. Provoca un efecto regulador en el conjunto de las funciones: si por error has estimulado de modo excesivo un punto que no era necesario, o si te has equivocado (como, por ejemplo, estimulando uno que sube la tensión en un hipertenso), este punto permitirá corregir tu maniobra. Adopta, pues, la costumbre de acabar siempre tu sesión en esta zona, situada delante de la oreja. Estimúlala también en caso de reacción orgánica agresiva.

Este punto se sitúa en el hueco delante de la oreja. Sin embargo, en la mayoría de las ocasiones es más sencillo masajear toda la zona, verticalmente:

— *de arriba abajo si queremos relajar, distender, y*
— *de abajo arriba si el objetivo es tonificar.*

Principales efectos

- Regula la tensión arterial (hipotensión e hipertensión)
- Relaja el sistema nervioso
- Alivia los dolores
- Facilita la digestión
- Actúa como un tónico para las venas (las contrae)
- Elimina la transpiración excesiva
- Frena las hemorragias
- Detiene la rinorrea (nariz goteante) y toda secreción excesiva
- Calienta
- Tonifica
- Contrae el útero (parto, hemorragia uterina)
- Incrementa las defensas inmunitarias
- Aumenta la energía sexual
- Tonifica la energía renal
- Estimula la energía primordial

Principales indicaciones

- Cansancio
- Astenia
- Impotencia sexual
- Eyaculación precoz
- Catarro
- Enfriamiento
- Hipertensión
- Hipotensión
- Dolores lumbares
- Erupciones cutáneas
- Transpiración de las manos
- Transpiración de los pies
- Taquicardia
- Orejas (sordera, zumbidos, otitis...)
- Ojos (problemas de la vista)
- Sinusitis
- Alergias
- Tabaquismo
- *Shock* medicamentoso
- Desintoxicación
- Parálisis
- Estómago
- Leucorrea
- Quemadura (por ejemplo, con agua hirviendo)

1 - Lumbares, glándulas suprarrenales, sexualidad

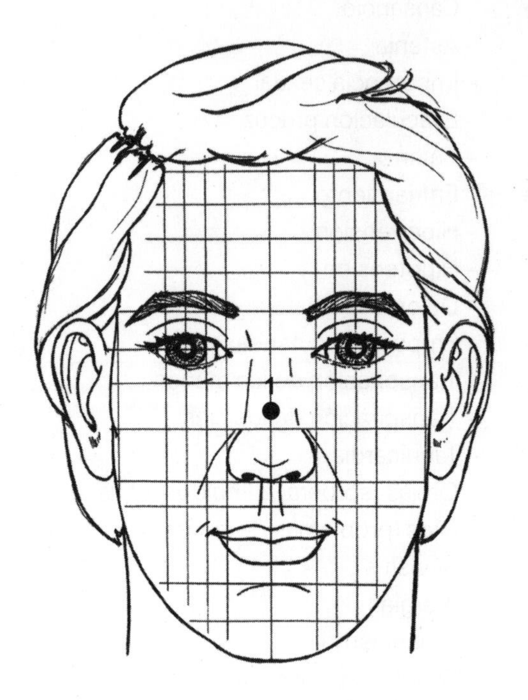

Este punto (situado en el caballete de la nariz, en el centro de una pequeña depresión) puede prestarte grandes servicios si siempre estás cansado y padeces una hipotensión crónica: su mera estimulación hace subir la tensión dos o tres puntos en breves segundos (de ahí nuestra advertencia en caso de hipertensión: sería peligroso estimularlo). *Este punto delicado ha de estimularse solo, con un leve movimiento de pulido ejecutado en círculos, preferentemente con la punta redondeada de un bolígrafo.*

> *Nota: ¡no estimular en caso de hipertensión!*

Principales efectos

- Relaja
- Regula el ritmo cardíaco
- Incrementa la energía sexual
- Disminuye las pérdidas humorales
- Sube la tensión arterial (hipertensor)
- Aumenta la energía
- Tonifica
- Calienta

Principales indicaciones

- Cansancio físico
- Fatiga nerviosa
- Ritmo cardíaco irregular (arritmias – taquicardia)
- Fatiga coronaria
- Dolores lumbares
- Dificultad para incorporarse
- Impotencia sexual
- Pérdidas blancas (leucorrea)
- Menstruación excesiva (hipermenorrea)
- Dolores abdominales
- Diarrea
- Hemorroides

3 - Pulmones, corazón (sólo a la izquierda), sienes, pecho

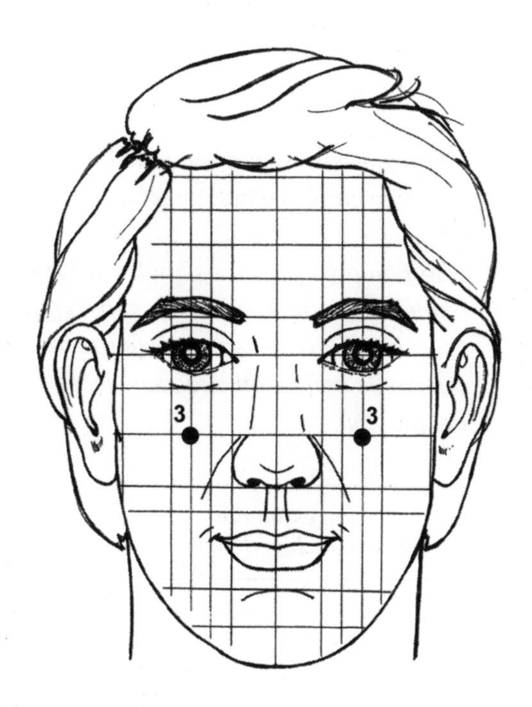

Este punto te será muy útil si padeces de los bronquios o los pulmones, de dolencias cardíacas o si quieres dejar de fumar.

Su estimulación también te permitirá bajar rápidamente la tensión en muchos puntos si padeces hipertensión.

Masajea barriendo hacia el exterior, horizontalmente, o estimula el punto de manera aislada.

> *Nota: ¡no estimular en caso de hipotensión!*

Principales efectos
- Dolencias cardíacas
- Distensión
- Baja la tensión arterial (hipotensor)
- Baja la temperatura (útil en caso de fiebre)
- Dispersa la energía
- Disminuye la secreción de las mucosas
- Alivia los dolores
- Efecto diurético
- Ayuda a respirar mejor

Principales indicaciones
- Insomnio
- Contracciones musculares, espasmos
- Hipertensión
- Catarro acompañado de fiebre
- Dolor de cabeza
- Dolores en el pecho
- Parálisis facial
- Dolores temporales
- Asma
- Tos
- Respiración pesada
- Dolor de muelas
- Sinusitis
- Nariz congestionada
- Orina de color oscuro
- Estreñimiento con insuficiencia urinaria
- Excesiva transpiración de las manos
- Problemas cutáneos
- Hinchazón del rostro
- Vista cansada
- Irritación ocular
- Picor en los ojos

6 - Pantorrillas, corazón

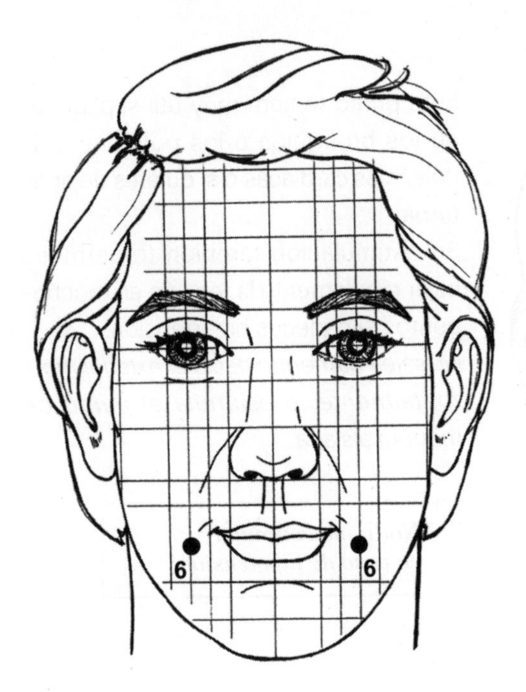

Otro excelente punto muy útil en caso de fatiga crónica e hipotensión convencional.

Este punto se puede estimular aisladamente (sobre todo en la hipotensión) o asociado al 85 mediante un ligero movimiento de barrido en dirección al centro del mentón.

> *Nota: ¡no estimular en caso de hipertensión!*

Principales efectos

- Hace subir rápidamente la tensión arterial
- Alivia el dolor de las pantorrillas
- Mejora la vista
- Tonifica el organismo
- Detiene las hemorragias
- Tonifica el corazón

Principales indicaciones

- Hipotensión
- Calambres en las pantorrillas
- Pérdida de visión
- Cansancio

7 - Páncreas, ovarios, próstata, órganos genitales y sus funciones, útero

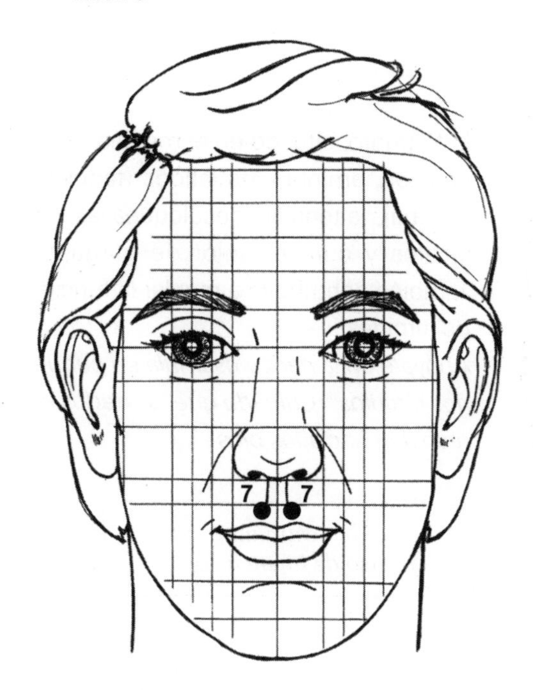

Este punto actúa con gran eficacia en los problemas menstruales, alivia la cistitis y facilita la digestión (sobre todo de una comida opípara o un abuso de azúcares). Los diabéticos deberían emplearlo regularmente.

Este punto se sitúa en el eje que atraviesa por el centro de las ventanas nasales. Se puede masajear solo el punto, con el extremo redondo de un bolígrafo, o bien efectuar un barrido vertical u horizontalmente en toda la región situada entre el labio superior y la base de la nariz.

Principales efectos

- Incrementa las defensas inmunitarias
- Mejora la circulación sanguínea
- Libera el flujo de la energía
- Calienta el organismo
- Actúa como antiinflamatorio
- Regula las secreciones
- Elimina las toxinas
- Alivia el dolor de vientre (dismenorreas, ovarios, próstata, dolores con irradiación a los muslos...)
- Aumenta la energía sexual

Principales indicaciones

- Diabetes
- Alergias
- Menstruación excesiva e irregular
- Menstruación dolorosa
- Inflamaciones
- Pérdidas blancas (leucorrea)
- Ovarios
- Próstata
- Dolores en los muslos
- Cistitis
- Impotencia sexual
- Sinusitis
- Trastornos digestivos
- Aerocolía
- Colitis
- Bloqueo de la lengua
- Bocio

8 - Corazón, cervicales, garganta, tiroides, cuello, maxilares, dientes, lengua

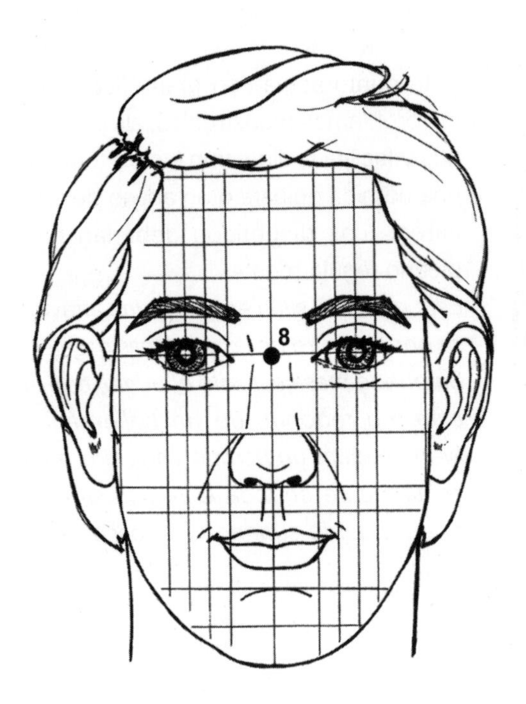

Este punto, situado en el meridiano del corazón, aminora los latidos (taquicardia), baja la tensión, desbloquea las cervicales y cura el dolor de garganta. También contribuye a regular la función del tiroides.

Apóyate en la nariz y estimula en pequeños círculos. ¡Cuidado que los dedos no resbalen hacia los ojos!

> *Nota: ¡no estimular en caso de hipotensión!*

Principales efectos

- Relaja
- Baja la tensión arterial
- Baja la temperatura
- Regula la transpiración
- Facilita la libre circulación de la energía
- Alivia los dolores inflamatorios de las cervicales y la columna vertebral
- Regula el ritmo cardíaco

Principales indicaciones

- Insomnio tras malos sueños
- Hipertensión
- Dolores cervicales
- Bloqueo de la nuca, tortícolis
- Inflamación de la lengua
- Dificultades de habla
- Inflamación de los maxilares
- Gingivitis
- Inflamación de la garganta
- Sinusitis
- Bocio
- Visión turbia
- Irritaciones diversas
- Alteraciones del ritmo cardíaco
- Trastornos cardíacos

14 - Orejas, garganta, parótidas, tiroides (hipotiroides)

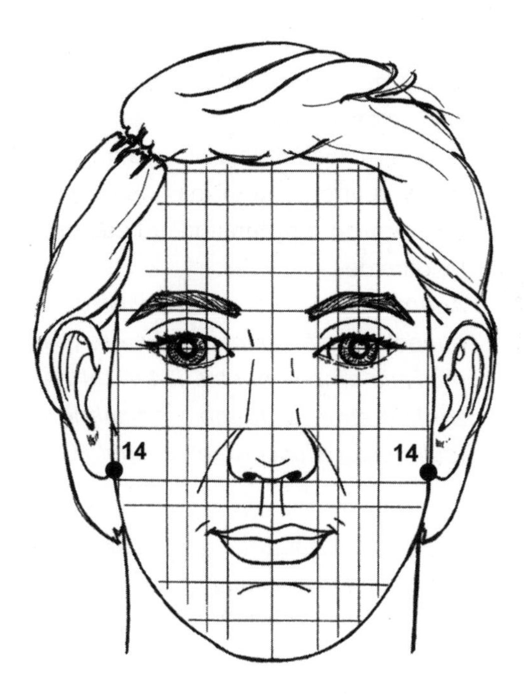

Este punto, además de otros efectos, cura la sordera y la otitis, y desbloquea la mandíbula.
Situado en el punto de confluencia entre el lóbulo de la oreja y el rostro, hay que masajearlo horizontalmente, justo bajo el lóbulo.

> *Nota: ¡no estimular en caso de hipotensión!*

Principales efectos
- Antiálgico
- Baja la temperatura
- Baja la tensión arterial
- Antiinflamatorio
- Activa la digestión
- Provoca salivación
- Relaja

Principales indicaciones
- Dolor de estómago
- Dolores dentales
- Dolores de la mandíbula
- Dolor de cabeza
- Resfriado con fiebre
- Paludismo
- Hipertensión
- Bocio
- Tos
- Laringitis
- Otitis
- Inflamaciones en el rostro
- Indigestión
- Deglución dificultosa
- Pérdida del apetito
- Insomnio

15 - Orejas, maxilares, columna vertebral, encías

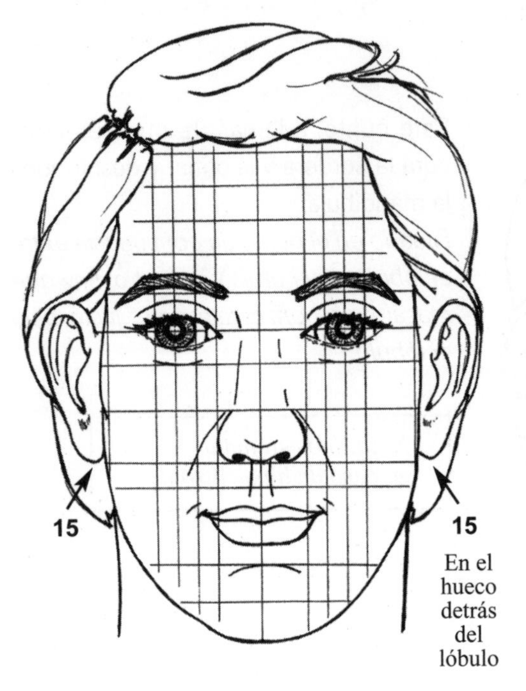

Este punto se sitúa en el hueco tras el lóbulo de la oreja, entre la mandíbula y la base del cráneo.

Su estimulación baja la tensión entre tres y cuatro puntos: ¡hay que evitarlo en caso de hipotensión! Eficaz en la hipotiroides.

Además de su estimulación aislada, se puede asociar al punto 14. En ese caso, masajea ambos puntos (14 y 15) horizontalmente, y luego verticalmente (pulimento). Concluye en el punto 0.

> *Nota: ¡no estimular en caso de hipotensión!*

Principales efectos

- Baja drásticamente la tensión arterial
- Baja la temperatura corporal
- Relaja
- Alivia el dolor
- Antiinflamatorio
- Irriga el cerebro

Principales indicaciones

- Hipertensión
- Transpiración debida a la hipertensión
- Estados gripales
- Paludismo
- Insomnio
- Dolor de cabeza
- Gingivitis
- Dolencias del oído, otitis
- Sordera
- Zumbidos en el oído
- Parálisis facial
- Bloqueo de los maxilares
- Sensación de frío
- Columna vertebral

16 - Orejas, hemorragias, corazón, ojos

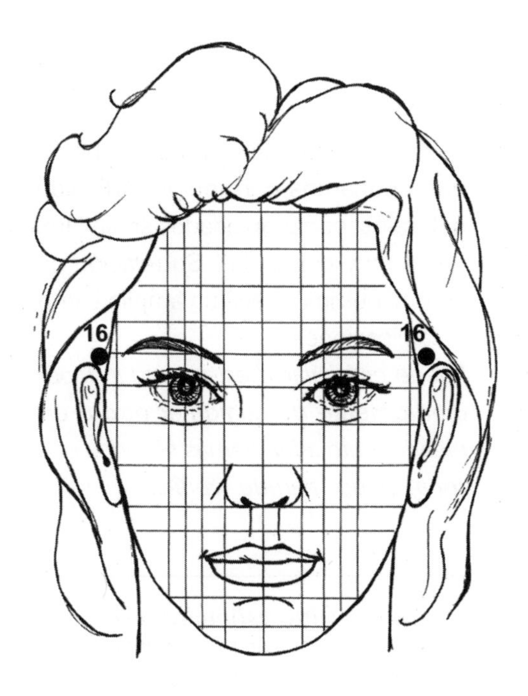

La estimulación de este importante punto disminuye (o incluso detiene) las pérdidas excesivas de flujos orgánicos: hemorragias (internas y externas), menstruaciones excesivas unidas a la presencia de fibromas, transpiración abundante, rinorrea (nariz goteante), crisis lacrimal, etc.

Estimular el punto con pequeños movimiento circulares, con el dedo o un bolígrafo.

Principales efectos

- Regula las secreciones humorales
- Regula la contracción muscular
- Distiende los músculos
- Baja la temperatura
- Baja la tensión arterial
- Alivia el dolor de los ojos
- Alivia el dolor de cabeza
- Detiene las hemorragias (de toda naturaleza)
- Antiinflamatorio

Principales indicaciones

- Exceso de lágrimas
- Transpiración excesiva
- Hemorragia interna y externa
- Insomnio
- Fiebre
- Catarro
- Hipertensión ocular dolorosa
- Hipertensión
- Dolor de cabeza
- Dolor de dientes
- Dolores orbitales
- Dolores cervicales
- Picaduras de insecto
- Parálisis en los brazos

17 - Glándulas suprarrenales, colon, riñones, muslos, caderas (la misma acción que los corticoides)

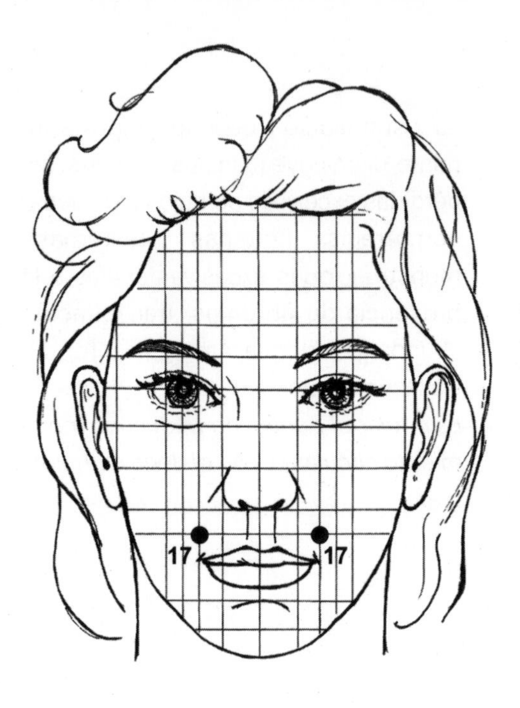

La estimulación de este punto libera lo que podríamos considerar **corticoides naturales**, con propiedades antiinflamatorias muy conocidas. Su relación con la zona pélvica ofrece un amplio campo de aplicaciones.

Puede estimularse este punto independientemente de cualquier otro o emplearlo junto a los demás situados en la zona, en un "barrido" vertical.

> *Nota: evita estimular este punto en caso de tumor (sobre todo, si es de estómago).*

Principales efectos

- Calienta
- Tonifica los riñones
- Regula la tensión arterial
- Reduce las secreciones humorales
- Disuelve las flemas
- Detiene las hemorragias
- Antialérgico
- Antiinfeccioso
- Alivia los dolores de tipo inflamatorio
- Reactiva la energía en el organismo
- Calma los dolores cólicos
- Suaviza el dolor agudo
- Calma la comezón
- Alivia muslos y caderas
- Regula la contracción muscular
- Distiende los músculos

Principales indicaciones
- Alergia
- Infecciones
- Personas frioleras
- Colitis
- Colitis espasmódica
- Diarrea, disentería
- Nariz goteante
- Tos con expectoraciones
- Transpiración excesiva
- Menstruación abundante
- Hemorragias uterinas
- Problemas ginecológicos
- Neuralgias
- Reumatismo, artritis
- Asma
- Disfunción renal originada por grasas
- Cansancio, astenia
- Hipotensión
- Agotamiento
- Estrés
- Apatía, indolencia
- Prurito
- Eccema
- Ardor
- Zona

19 - Corazón, pulmones, nariz, hígado, estómago, colon, bajo vientre; corresponde al Vaso Gobernador Yang

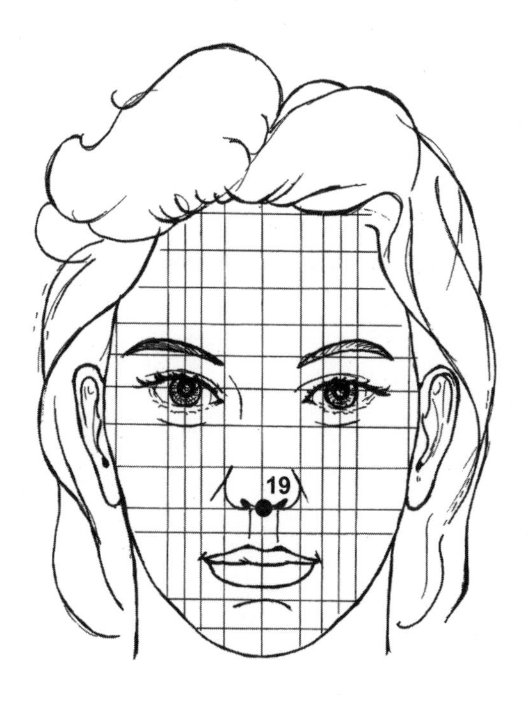

Este punto puede ser de gran utilidad: hace subir la tensión, incrementa la energía, alivia el dolor de cabeza y el estreñimiento, detiene el hipo y los vómitos, provoca contracciones uterinas... y también el rechazo de cuerpos extraños ingeridos accidentalmente, lo que será muy útil a los padres. Muy conocido por los judocas, también es un punto de reanimación que tonifica el corazón y lo reactiva: no vaciles en estimularlo si existe una enfermedad.

Los puntos situados bajo la nariz han de estimularse verticalmente.

Nota: ¡no estimular este punto en caso de hipertensión! También está prohibido en mujeres embarazadas, salvo si están a punto de dar a luz (en cuyo caso facilita las contracciones).

Principales efectos

- Regula el ritmo cardíaco
- Produce y aumenta la secreción de adrenalina
- Punto de reanimación
- Tonifica
- Facilita la respiración
- Despierta la atención
- Calienta
- Activa la energía
- Reanima e incrementa la energía sexual
- Reactiva el chi
- Desarrolla la virilidad
- Estimula la secreción de jugos gástricos
- Facilita el peristaltismo intestinal
- Regula las contracciones musculares
- Facilita o impide el vómito
- Aumenta las contracciones uterinas

Principales indicaciones

- Dolencias cardíacas
- *Shock* medicamentoso
- Desmayo
- Ahogamiento, reanimación
- Sofoco debido a la ingesta de un objeto
- Epilepsia
- Respiración dificultosa o crisis de asma
- Somnolencia
- Falta de energía
- Depresión nerviosa
- Impotencia sexual
- Dolores estomacales
- Colitis
- Estreñimiento
- Hemorroides
- Parto
- Náuseas, vómitos
- Dolores lumbares
- Droga (eliminación de venenos)

20 - Cervicales, garganta, ojos, cuello, paratiroides

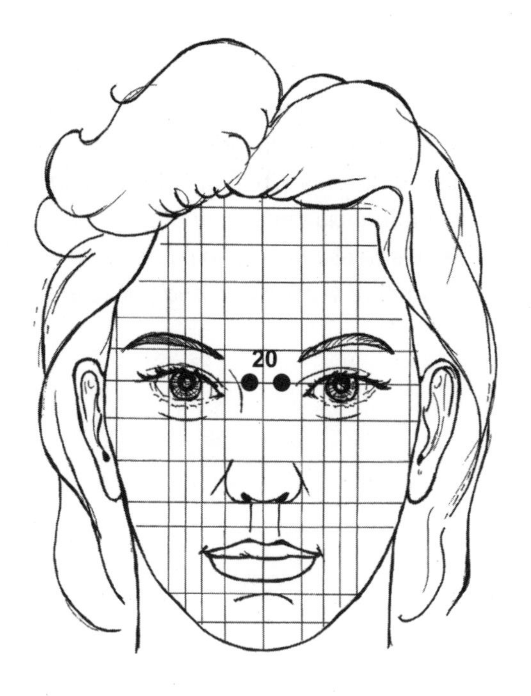

Situado a ambos lados del punto 8, a pocos milímetros, actúa fundamentalmente en problemas de descalcificación. *Estimula el punto con el extremo de un bolígrafo o la punta de un rodillo. También puedes simplemente pellizcar estos puntos entre el pulgar y el índice durante algunos instantes.*

Principales efectos
- Remineralizante
- Estimula los paratiroides
- Alivia los ojos
- Estimula el riego cerebral
- Suaviza la garganta
- Alivia las tensiones del cuello
- Relaja

Principales indicaciones
- Osteoporosis
- Desmineralización
- Dolor de cabeza
- Riego cerebral
- Raquitismo
- Fracturas diversas
- Cansancio ocular
- Dolor de garganta

22 - Vejiga, dientes, región pélvica, próstata, intestino delgado, útero

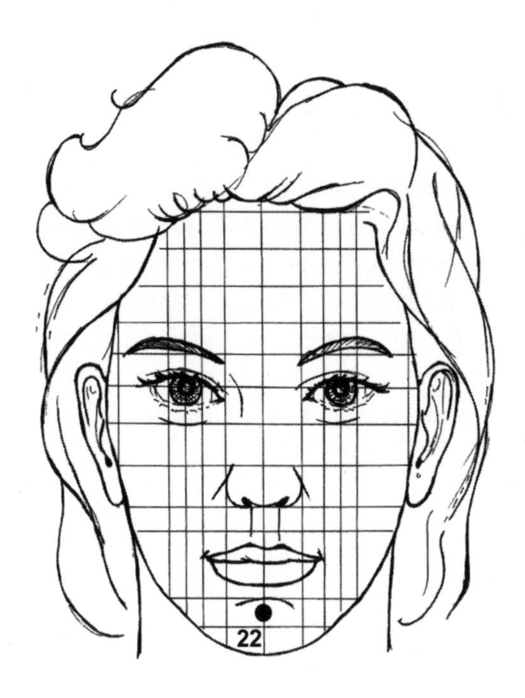

Este punto influye en todos los problemas relativos a la vejiga: inflamación, cistitis, ptosis ("bajada" de la vejiga), incontinencia urinaria, enuresis...
Se puede estimular solo o barriendo verticalmente la zona y uniendo el 22 al 87.

Principales efectos
- Incrementa el flujo del chi
- Detiene las secreciones excesivas
- Alivia los dolores de la vejiga
- Tonifica la vejiga
- Alivia la dolencia de próstata
- Refuerza las defensas del organismo
- Reactiva la energía
- Alivia los dolores de la región pélvica
- Calma los dolores cólicos

Principales indicaciones
- Diarrea dolorosa
- Disentería
- Dolores dentales, sobre todo del maxilar inferior
- Flatulencias
- Digestión pesada
- Cistitis (asociado al 17)
- Ptosis (bajada) de la vejiga
- Ptosis del útero
- Menstruación abundante
- Menstruación irregular
- Problemas de próstata
- Leucorreas
- Dificultad para orinar
- Cansancio, astenia
- Apatía

26 - Cervicales, garganta, sinus, hipófisis, nervio parasimpático, glándula pineal

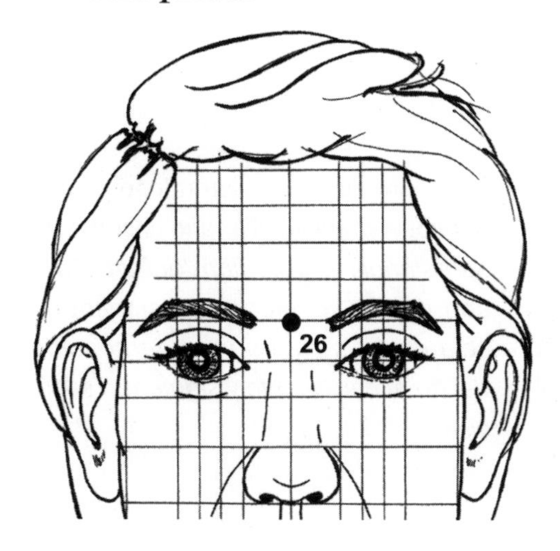

Es el punto del "tercer ojo". Amansa una mente agitada, pero también puede despertarla; actúa sobre el equilibrio psíquico en general: es aconsejable no estimularlo demasiado. Actúa como la aspirina contra el dolor y la fiebre. *Estimulación mediante ligeras caricias sucesivas, de arriba abajo.*

Nota: ¡no estimular en caso de hipotensión!

Principales efectos
- Relaja
- Alivia los dolores
- Antiséptico
- Alivia la comezón
- Regula el ritmo cardíaco
- Baja rápidamente la tensión arterial
- Hace subir la temperatura
- Regula las crisis espasmódicas
- Aumenta la diuresis
- Incrementa las secreciones
- Desintoxica
- Facilita la eliminación de alcohol
- Atenúa el exceso de ardor sexual

Principales indicaciones
- Insomnio
- Neurastenia
- Falta de memoria
- Epilepsia
- Temblores
- Enfermedad de Parkinson
- Hipo
- Espasmos, tétano
- Dolor de cabeza
- Ardores
- Arañazos
- Taquicardia
- Hipertensión
- Fiebre
- Resfriado
- Desmayos
- Paludismo
- Enuresis (incontinencia urinaria)
- Nariz congestionada
- Eccema
- Prurito
- Intoxicación alcohólica
- Náuseas
- Asma
- Picadura de abeja y de escorpión
- Mordedura de serpiente
- Punto de anestesia (cauterización de la nariz, amígdalas)

34 - Hombros, brazos (a lo largo de las cejas, a partir del 34), pies, sinus, ojos, corazón, nervio óptico

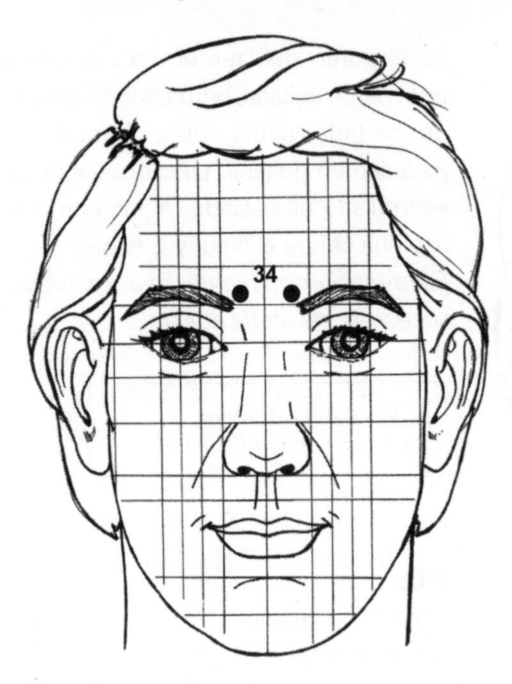

Este punto permite distender el sistema nervioso y facilita el sueño (insomnio). *Se estimula esta región (del 34 al 180) con ligeras fricciones presionando la ceja en toda su longitud, remontando desde el nacimiento y siguiendo el arco ciliar.*

Principales efectos

- Distiende el sistema nervioso
- Alivia el dolor
- Refuerza la vista
- Relaja los músculos
- Regula el ritmo cardíaco

Principales indicaciones

- Insomnio (asociado al punto 124)
- Depresión nerviosa
- Dolor de cabeza
- Dolores de los pies y dedos del pie
- Dolor de hombros
- Dolor de estómago – gastritis
- Dolor de muelas
- Vista cansada
- Calambres, espasmos
- Vómitos – náuseas
- Arritmias
- Taquicardia

37 - Bazo, circulación de la sangre, digestión, próstata, nervio trigémino

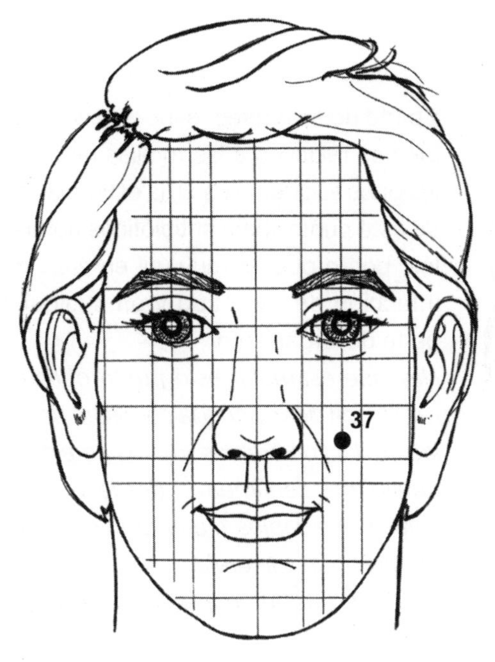

Este punto situado en el meridiano del bazo es útil en caso de deficiencia inmunitaria, piernas entumecidas o debilitamiento general.

Masajear el punto solo, o verticalmente si se asocia al 39. Para estimular estos puntos, dirige el bolígrafo desde la parte alta, oblicuamente, hasta el interior.

Principales efectos

- Aumenta las defensas inmunitarias
- Detiene las hemorragias
- Estimula la circulación sanguínea
- Estimula el flujo de la energía
- Mejora la digestión
- Alivia los dolores en la región del bazo
- Elimina las flemas
- Regula las disfunciones urinarias

Principales indicaciones

- Menstruación excesiva
- Hemorragia estomacal (asociado al 16, 61 y 50)
- Entumecimiento de brazos y piernas
- Insensibilidad de brazos y piernas
- Hormigueo
- Fatiga nerviosa
- Fatiga física
- Digestión pesada
- Flemas
- Enuresis
- Incontinencia
- Retención de líquidos – edema
- Tos
- Asma
- Pesadez general
- Parálisis facial
- Neuralgias faciales
- Anemia

38 - Rodillas, muslos, costillas, dedo corazón, colon, acción análoga a la administración de antibióticos

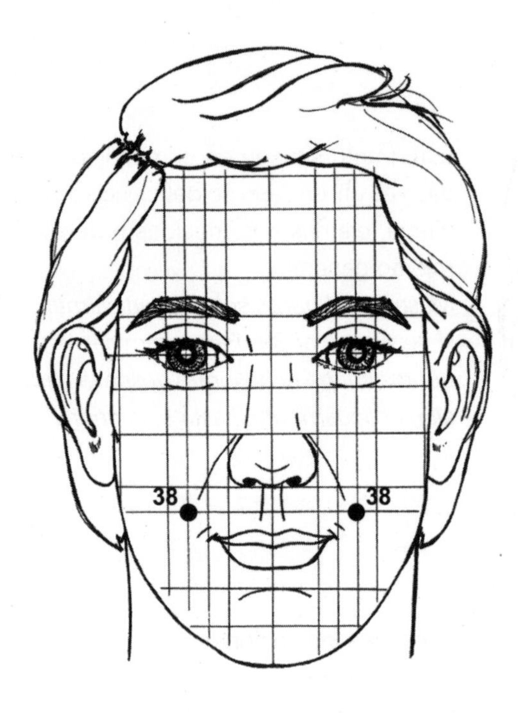

Aparte de su interés respecto a los problemas relativos a las rodillas (artrosis, lesiones accidentales...), la estimulación de este punto libera **antibióticos naturales**, por lo que es muy útil en caso de infección de todo tipo y en cualquier parte del organismo.

Hay que estimular este punto oblicuamente, en dirección a la comisura de los labios. La zona de las rodillas se extiende algunos centímetros, desde la comisura de los labios (cuando sonreímos) en dirección a la oreja.

También puedes masajear de manera vigorosa ambos lados de la boca, verticalmente, y a continuación centrarte en el punto 38.

Principales efectos

- Antiinflamatorio
- Desintoxica
- Mejora el tránsito intestinal
- Alivia el dolor de los muslos
- Calma el dolor de las costillas
- Aplaca el dolor de las rodillas
- Corresponde al dedo corazón
- Aerocolía (flatulencia intestinal)
- Lucha contra la infección

Principales indicaciones

- Problemas cutáneos de naturaleza inflamatoria
- Forúnculo, absceso
- Otitis
- Sinusitis
- Gingivitis
- Estreñimiento
- Dolores de muslos, costillas, rodilla y dedo corazón
- Dificultad para evacuar los gases intestinales tras una operación (añadir el 19)
- Fiebre
- Dolores lumbares

39 - Estómago, colon, tiroides, nervio trigémino, senos, dedo índice

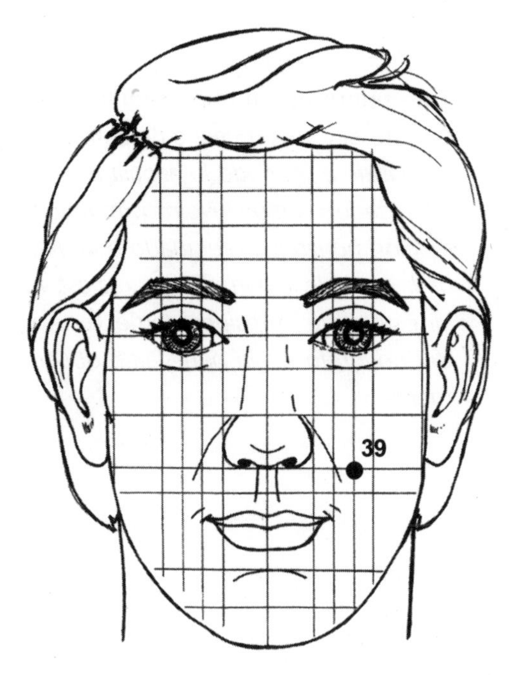

Este punto, situado en el meridiano del estómago, mejora los problemas relativos a la digestión: gastritis, ardores de estómago...

Frecuentemente se lo asocia al punto situado justo encima, en un pequeño movimiento de masaje vertical efectuado de arriba abajo.

Principales efectos

- Aligera el estómago
- Alivia los dolores relacionados con tumores en el estómago
- Facilita la digestión
- Dolor del dedo índice
- Antiinflamatorio
- Baja la tensión arterial
- Hace descender la fiebre

Principales indicaciones

- Dolor de estómago
- Digestión lenta
- Dolor del dedo índice
- Acné
- Gingivitis
- Inflamación de los labios
- Hipertensión
- Dolor de muelas
- Neuralgias faciales
- Parálisis facial
- Dolor del pie debido a la ciática
- Dolencias nasales
- Sinusitis
- Nariz congestionada o irritada
- Mastitis
- Mastitis tras el parto (añadir el 73)
- Estimular la segregación de leche materna
- Tiroides
- Falta de apetito

41 - Vesícula biliar (incluso tras la extirpación), colesterol

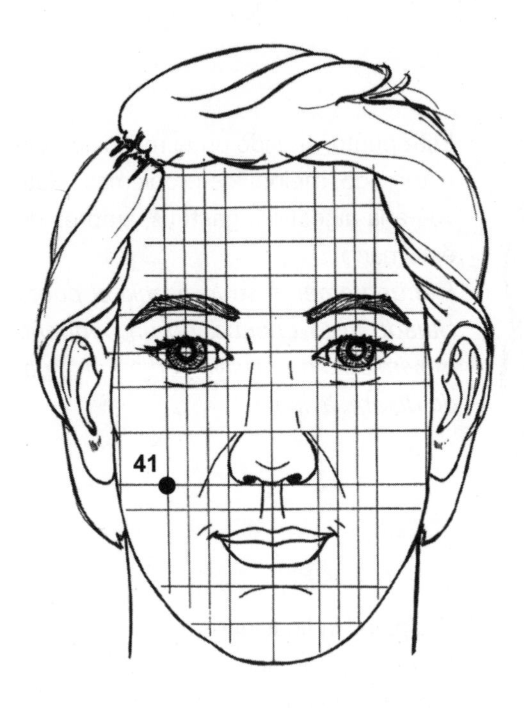

Este punto es un buen regulador del colesterol y los procesos digestivos.
El masaje a menudo lo asocia al punto 50 (hígado), con un leve movimiento de fricción horizontal efectuado a la altura de la base de la nariz. Si quieres estimular este punto, presiona con el extremo del bolígrafo en la parte alta, oblicuamente.

Principales efectos
- Alivio del dolor
- Regula la producción de jugos gástricos
- Dolor de estómago
- Dolor de hígado
- Dolor de la vesícula biliar
- Regula la secreción biliar
- Regula el colesterol
- Baja la tensión
- Alivia los dolores cervicales
- Calma los dolores de hombros
- Despeja la vista
- Suaviza las reacciones alérgicas

Principales indicaciones
- Migraña
- Estreñimiento
- Dolores en las costillas
- Dolor de estómago
- Problemas hepáticos
- Patologías de la vesícula biliar
- Ictericia
- Amargor en el paladar
- Colesterol (añadir el 50)
- Hipertensión
- Dolores cervicales
- Dolor de hombros
- Dolor de cabeza (bilateral)
- Vista cansada
- Reumatismos
- Eccema
- Insomnio

43 - Dientes, lumbares, cóccix, riñón

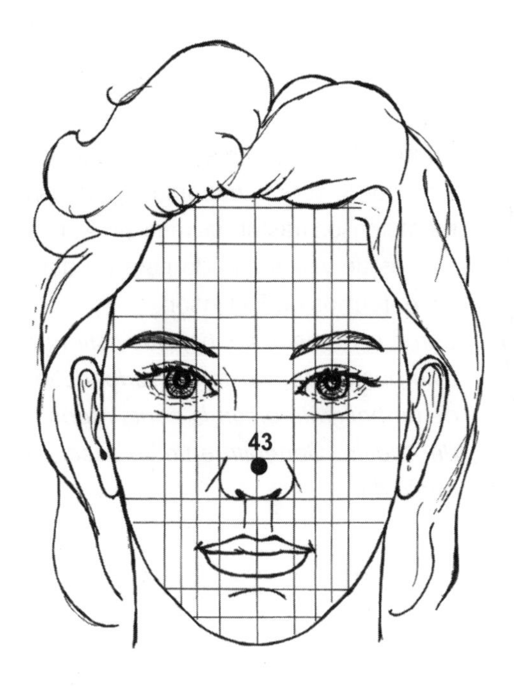

Este punto es fundamental en los casos de problemas renales y lumbares. Permite una mejor recuperación y favorece la convalecencia tras una enfermedad infecciosa o una intervención quirúrgica. Equivale al punto de acupuntura llamado "puerta de la vida" (Ming Men o 4VG).

Este punto ha de ser estimulado con el bolígrafo o el extremo redondo del rodillo. Generalmente se asocia al 45.

Principales efectos

- Calienta
- Tonifica la energía primordial
- Restaura las fuerzas de un organismo debilitado
- Refuerza dientes y encías
- Tonifica los riñones
- Alivia la región lumbar
- Mitiga los dolores lumbares
- Aumenta la energía sexual

Principales indicaciones

- Lumbago
- Dolores lumbares
- Dolores dentales asociados a los riñones
- Gingivitis
- Fatiga crónica
- Manos y pies fríos
- Menstruación dolorosa
- Hemorroides con hemorragia
- Colitis con diarrea
- Ciática
- Incontinencia urinaria nocturna
- Poliuria
- Nefritis
- Cólicos nefríticos
- Impotencia sexual
- Pérdidas de esperma
- Leucorreas

45 - Orejas, lumbares, cóccix, estómago, riñones

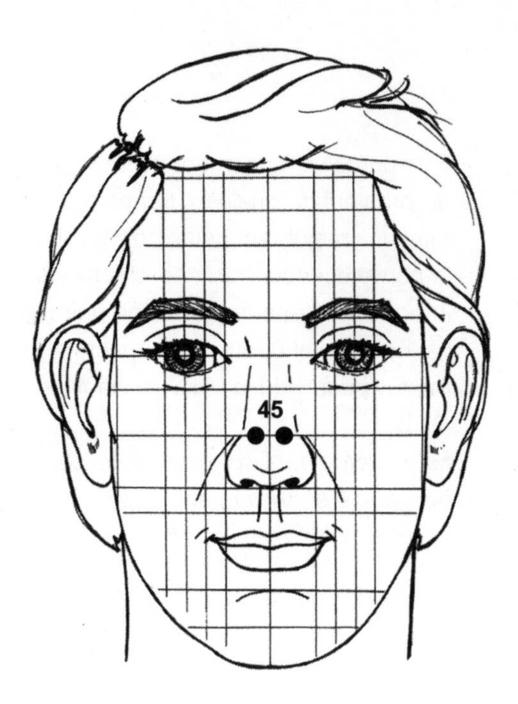

Como el anterior, con el que se lo asocia a menudo, este punto actúa poderosamente en los trastornos renales. Asimismo, es un valioso aliado para ayudar a los enfermos de Parkinson.

Como el precedente, hay que estimular este punto con el extremo redondeado de un bolígrafo o con la punta redonda del rodillo. Generalmente se asocia al punto 43.

Principales efectos

- Tonifica el organismo
- Regula la contracción muscular
- Calma, relaja
- Alivia los dolores lumbares
- Aplaca el dolor de oídos
- Facilita la digestión
- Tonifica los riñones
- Incrementa la energía sexual

Principales indicaciones

- Neuralgias
- Espasmofilia
- Temblores
- Enfermedad de Parkinson
- Fatiga
- Trastornos sexuales
- Impotencia
- Apatía
- Gastritis
- Digestión pesada
- Otitis
- Sordera
- Nefritis
- Cólicos nefríticos
- Enuresis

50 - (Sólo a la derecha) **hígado, problemas linfáticos, piernas**

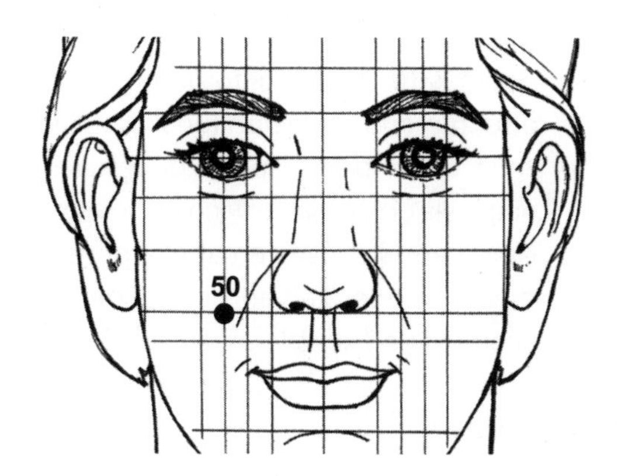

Este punto, situado en el meridiano del hígado, también contiene las hemorragias. Estimúlalo ante cualquier problema hepático (incluida la hepatitis). Tonifica la función hepática, facilita el drenaje de la estasis linfática: edemas, retención de líquidos, ganglios... y baja la tasa de colesterol en sangre. *Se lo puede asociar al 41, tal como se ha descrito anteriormente.*

> *Nota: ¡no estimular en caso de hipertensión!*

Principales efectos
- Regula las contracciones musculares
- Estimula las defensas inmunitarias
- Relaja el sistema nervioso
- Baja la tasa de colesterol
- Alivia los dolores
- Sube la tensión arterial
- Incrementa la energía
- Suaviza las alergias
- Contiene las hemorragias
- Disipa los efectos de venenos y toxinas
- Antiinflamatorio
- Regula la transpiración
- Facilita la digestión
- Regula la circulación sanguínea
- Alivia los dolores hepáticos y vesiculares

Principales indicaciones
- Parálisis faciales
- Esguinces
- Torceduras de pies y manos
- Insomnio
- Epilepsia
- Dolor en las costillas
- Dolores cervicales
- Tortícolis
- Dolor en la parte superior del cráneo
- Hipotensión
- Alergia
- Hemorragia
- Menstruación copiosa
- Reumatismos
- Eccema
- Transpiración de pies y manos
- Digestión lenta
- Indigestión
- Hinchazón del vientre
- Hemorroides
- Problemas hepáticos
- Disfunción de la vesícula biliar
- Cálculos biliares
- Vientre hinchado
- Nariz congestionada
- Problemas de la vista
- Vista defectuosa
- Colesterol

51 - Pies (sobre todo la planta)**, dedos del pie** (a lo largo del mentón)**, dedo gordo** (en el centro o reborde del mentón)

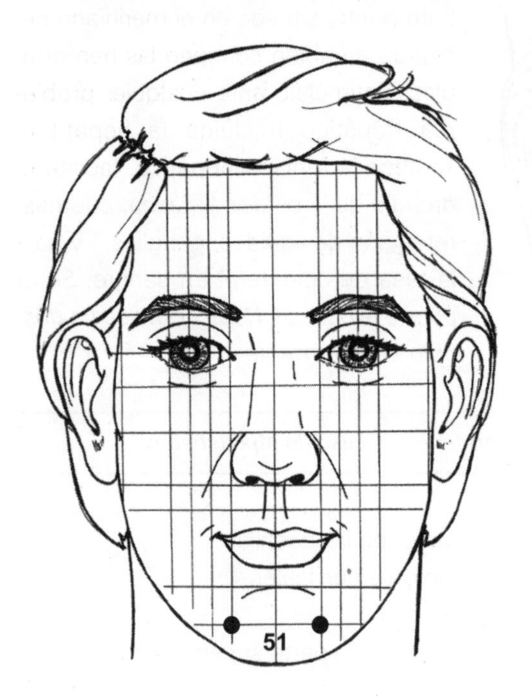

Además del tratamiento de problemas directamente relacionados con esta zona, es también un punto de relajación que alivia el exceso de yang en la cabeza.

Nota: en el dolor de cabeza generalmente la energía yang asciende y se acumula en exceso: la estimulación de este punto permite que la energía descienda.

Para situar precisamente ambos puntos, coloca los dedos índice, corazón y anular juntos en el centro del mentón, en la parte curvada:

— en el centro, bajo el dedo corazón, está el punto 87.
— el 51 estará a cada lado, bajo el índice y el anular.

Para estimular este punto, hunde la punta hacia arriba. También se puede barrer toda la zona para tocar todos los puntos.

Nota: ¡no estimular en caso de hipotensión!

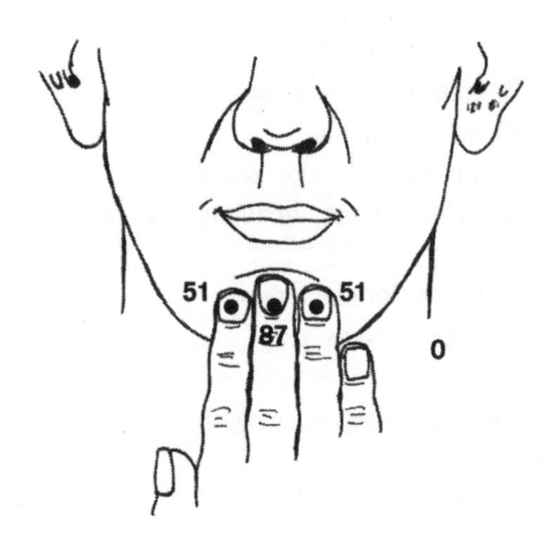

Principales efectos
- Relaja
- Sube la temperatura
- Baja la tensión arterial
- Alivia el dolor de brazos
- Mitiga el dolor de piernas
- Mejora el dolor de cabeza
- Dispersa las energías
- Regula la sangre y la energía

Principales indicaciones
- Insomnio
- Hipertensión
- Hipertensión ocular
- Dolor de cabeza debido a la hipertensión
- Dolores en los brazos, piernas y cabeza
- Pies fríos
- Insensibilidad u hormigueo en los pies
- Dolor en la planta del pie
- Dolor en los dedos del pie
- Asma
- Tos
- Dolores dentales

60 - Ojos, corazón, pulmones, pecho, senos, frente, lengua, rostro, brazo, antebrazo, mano, dedo corazón, vejiga

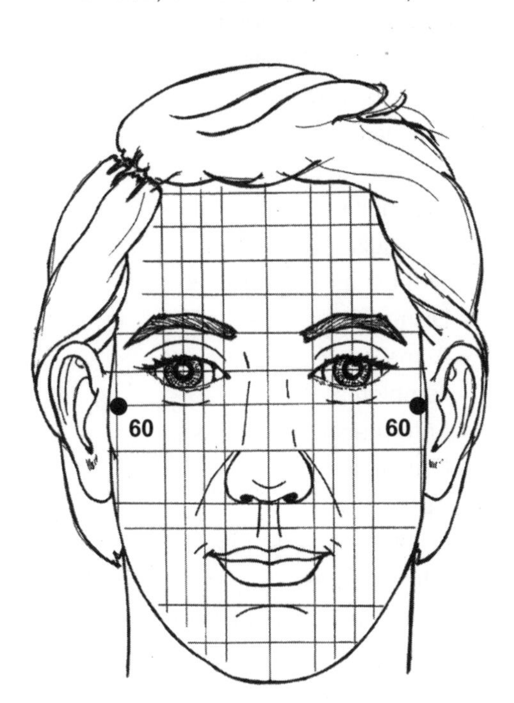

Si se presentan problemas relacionados con los ojos, a menudo se asocia este punto al 130, situado justo encima. La zona de los pulmones no se limita a este punto, sino que parte de la base de la ventana nasal y atraviesa el pómulo. El corazón tan sólo se encuentra señalado en el punto situado a la izquierda. *Según el caso, se puede estimular el punto aisladamente, o asociarlo al 130, situado justo encima, o incluso estimular toda la región uniendo las ventanas nasales al punto.*

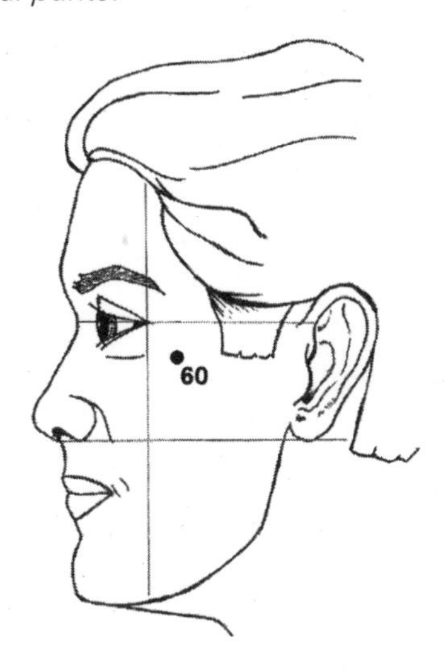

Principales efectos

- Calma los problemas de brazos y antebrazos
- Alivia el dolor de manos
- Mitiga las dolencias del rostro
- Alivia el dolor de senos
- Baja la temperatura
- Calienta
- Regula la transpiración
- Ayuda a dejar el tabaco
- Limpia los pulmones
- Libera la respiración
- Mejora la vista
- Regula el ritmo cardíaco
- Tonifica el corazón
- Relaja
- Alivia los problemas de la vejiga
- Antiinflamatorio
- Refuerza el organismo
- Regula el chi

Principales indicaciones

- Ansiedad
- Neuralgias faciales
- Dolores penetrantes
- Parestesia, pérdida de sensibilidad
- Sensación de entumecimiento en los dedos
- Leucoplaquia
- Dolor de cabeza localizado en la frente
- Dolor de brazo y antebrazo
- Consecuencias de fracturas de brazo y antebrazo
- Espasmos de la lengua
- Artrosis de la mano
- Artrosis de los dedos
- Mastitis
- Quistes en los senos
- Bronquitis
- Tabaquismo
- Problemas respiratorios
- Disnea
- Asma
- Temblores
- Enfermedad de Parkinson
- Cansancio
- Apatía
- Problemas cardíacos
- Inflamaciones
- Artritis de brazos y manos
- Cistitis
- Problemas urinarios
- Convalecencia
- Personas frioleras
- Circulación sanguínea
- Reequilibra la composición de la sangre
- Vértigo
- Memoria débil

61 - Pulmones, hígado, corazón, estómago, bazo, dedo pulgar, nervio trigémino

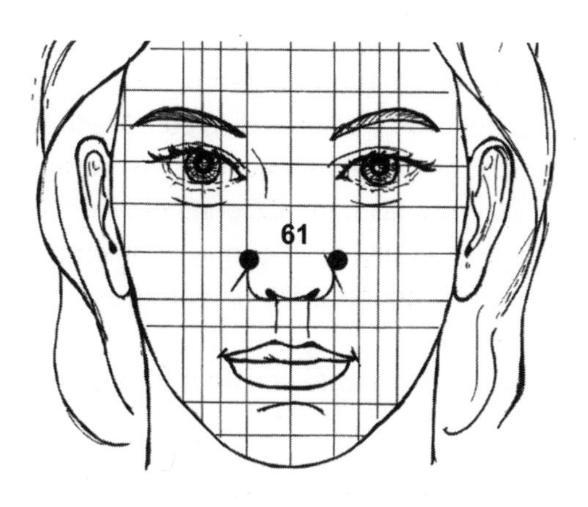

Este punto precioso, situado en el hueco donde acaba la aleta nasal, proporciona calor y permite la secreción de endorfinas naturales. Emplear en caso de sinusitis o nariz congestionada.

Contiene las hemorragias, anestesia el dolor, y disminuye o detiene el goteo nasal en la rinitis.

Masajear el punto con leves fricciones de arriba abajo, a lo largo de las aletas nasales.

Principales efectos

- Produce beta-endorfinas
- Regula la transpiración
- Calienta
- Regula el ritmo cardíaco
- Antiinflamatorio
- Desintoxica
- Facilita la libre circulación de la energía
- Disuelve las flemas
- Contiene las hemorragias (en general)

Principales indicaciones

- Transpiración excesiva o insuficiente
- Dolores abdominales
- Crisis de abstinencia por consumo de drogas
- Dolor de cabeza
- Dolor de estómago
- Carne de gallina
- Alteraciones del ritmo cardíaco
- Hipertensión
- Parálisis facial
- Problemas cutáneos
- Eccema
- Inflamaciones vaginales
- Inflamaciones del cuello del útero
- Leucorreas
- Inflamaciones de la garganta
- Amigdalitis
- Asma
- Dolores en el pulgar
- Hemorragia nasal
- Úlcera gástrica
- Opresión
- Ciática
- Náuseas, vómitos
- Bocio
- Fiebre
- Tos
- Nariz congestionada
- Catarro
- Congestión

63 - Colon, páncreas, útero, estómago

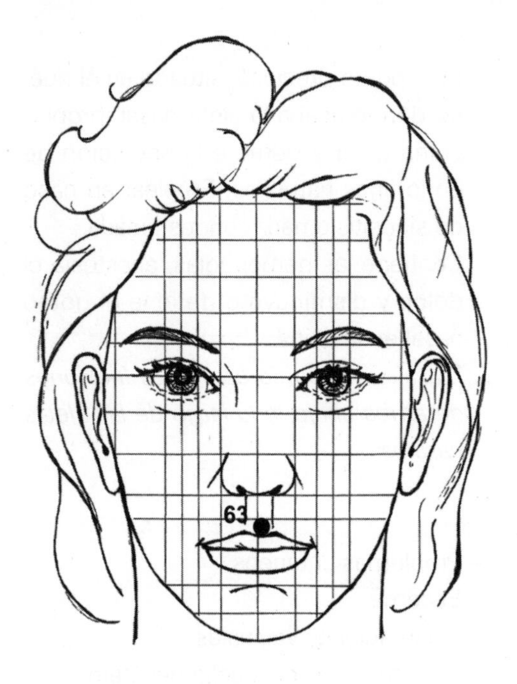

Útil en el estreñimiento, problemas digestivos y dolores diversos. Masajéalo si se presentan cuadros de vértigo. Estimula las contracciones uterinas: es útil en el parto, en el que también previene y contiene las hemorragias uterinas.

Estimula el punto con un bolígrafo.

> *CONTRAINDICACIÓN: Mujeres embarazadas (salvo en el momento del parto).*

Principales efectos

- Regula las secreciones vaginales
- Regula la producción de saliva
- Incrementa el vigor sexual
- Estimula las defensas inmunitarias
- Alivia el dolor de la columna vertebral
- Aplaca los dolores uterinos
- Mejora el dolor de estómago
- Regula la contracción muscular (sobre todo en útero, manos y pies)
- Facilita la circulación de la energía
- Tonifica el páncreas, estómago, colon y útero

Principales indicaciones

- Frigidez
- Impotencia, dificultad de erección
- Mareos, vértigos
- Epilepsia
- Temblores nerviosos
- Dolor de estómago
- Boca seca o mal sabor de boca
- Hipotensión
- Ciática
- Parto
- Hemorragia uterina debida al parto
- Dolores menstruales
- Menstruación irregular
- Patologías del útero y la vagina
- Dolores de la columna vertebral
- Diabetes
- Mareo en barcos

64 - (Situado en la base exterior de cada aleta nasal) **ingles, caderas, lengua, garganta**

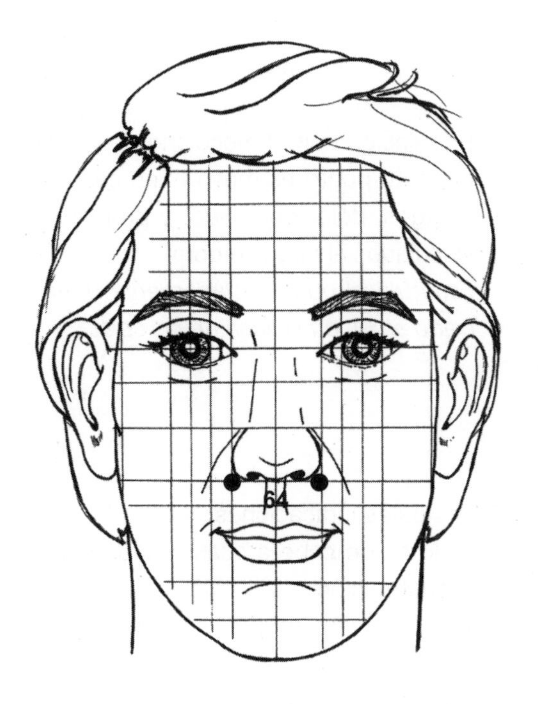

Este punto es muy útil en caso de ciática, como complemento a los puntos señalados en el diccionario terapéutico. *Estimúlalo preferentemente con el bolígrafo o la punta redonda del rodillo.*

Principales efectos
- Calma los dolores en la zona de la ingle
- Alivia el dolor de estómago
- Regula la contracción muscular

Principales indicaciones
- Ciática
- Dolor en la ingle
- Descalcificación de las caderas
- Gastritis
- Parálisis de los miembros inferiores
- Dolores en la zona de la lengua o la garganta

65 - Cervicales, cuello, orejas, ojos, sinus, nariz, cerebro, ovarios, hombros

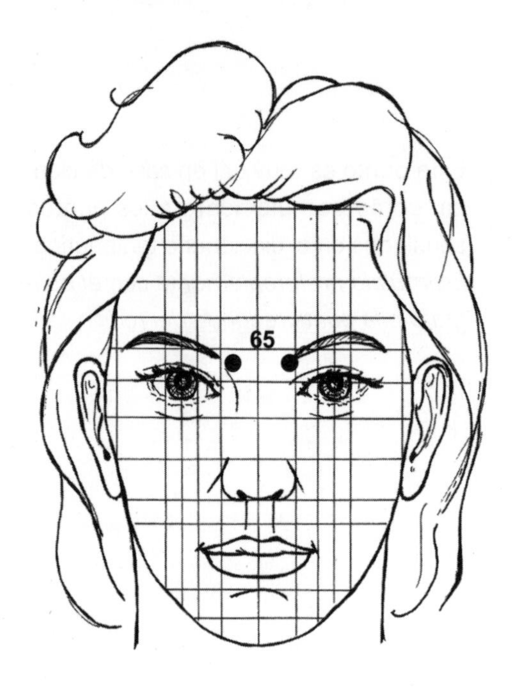

En relación con el meridiano de la vejiga, este punto es muy útil en caso de vértigos, dolor de cabeza y problemas vinculados al riego cerebral.

Estimula el punto aisladamente o asociado al 34, en la línea de las cejas.

Principales efectos

- Relaja
- Alivia los dolores de cervicales y hombros
- Alivia el dolor de cabeza, sobre todo a la altura de las cejas
- Descongestiona la nariz
- Alivia el dolor de oídos
- Facilita el buen funcionamiento cerebral
- Regula el riego cerebral
- Mejora la vista
- Alivia los problemas de vejiga

Principales indicaciones

- Dolores de cabeza ocasionados por la menstruación
- Menstruación irregular y dolorosa
- Cistitis
- Mareos, vértigos
- Somnolencia
- Dolencias oculares
- Incontinencia
- Problemas de próstata
- Dolores cervicales y en los hombros
- Artrosis del hombro
- Periartritis escápulo-humeral
- Sinusitis
- Sordera
- Otitis, dolor de oído
- Rigidez de la nuca, tortícolis
- Catarro, nariz congestionada
- Dolores maxilares
- Dificultades de concentración
- Memoria débil
- Dolores en el trayecto del meridiano de la vejiga

73 - Ojos, pulmones, senos, ovarios, riñones, corazón, cabeza, pecho, hombros, espalda, brazos, piernas, vejiga

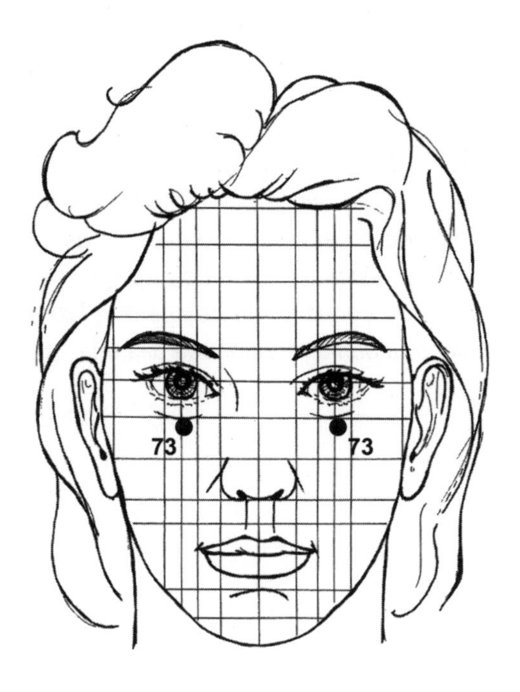

Útil para la tos, mastitis, quistes en los senos u ovarios, trastornos de la vista, conjuntivitis, etc. En período de lactancia estimula la secreción de leche. *Situado en el centro del borde inferior de la órbita, en la parte ósea, se trata de un punto delicado: estimúlalo suavemente con un ligero movimiento giratorio.*

Principales efectos

- Relaja
- Alivia la inflamación de los senos
- Suaviza las inflamaciones del pecho
- Alivia la irritación de los ojos
- Estimula la producción de leche
- Tonifica
- Facilita la circulación sanguínea
- Libera la energía
- Calienta

Principales indicaciones

- Insuficiencia coronaria
- Patologías de los senos: mastitis, quistes...
- Angina de pecho
- Insomnio
- Tos seca
- Dolores renales
- Problemas de próstata
- Dolores de ovarios
- Problemas urinarios
- Dolores en los hombros y brazos
- Dolores en las órbitas de los ojos
- Vista cansada
- Cálculos renales
- Entumecimiento (frío)
- Menstruación irregular

74 - Ingles, hígado, estómago, orejas

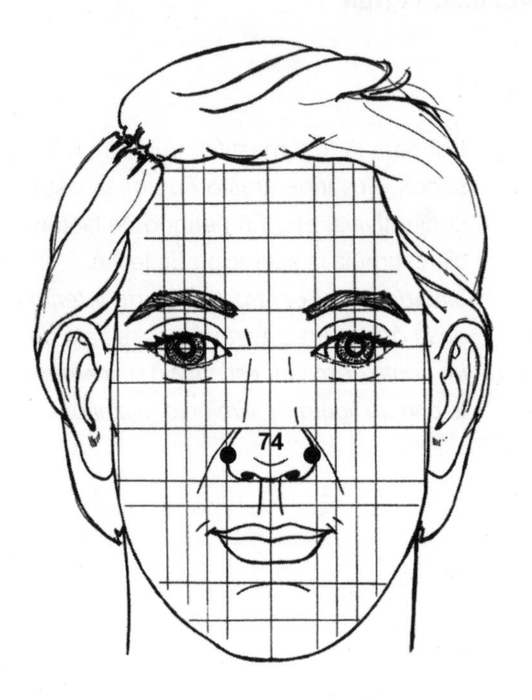

Este punto se asocia al 64, su vecino, en caso de ciática y dolor de estómago. *Situado en el centro de la curva de las aletas nasales, este punto exige ser estimulado con la punta de acero del rodillo, una punta redondeada o la uña.*

Principales efectos

- Calma los dolores a la altura de la ingle
- Alivia el dolor de estómago
- Mejora el hígado
- Aumenta la contracción de músculos y piernas
- Tonifica las venas

Principales indicaciones

- Dolores de cabeza debidos a indigestión
- Parálisis de los miembros inferiores
- Gastritis
- Mala digestión
- Dolores de ingle
- Ciática
- Hipo
- Zumbidos en el oído, acúfenos
- Sordera

85 - Uréteres, dedo meñique, vejiga

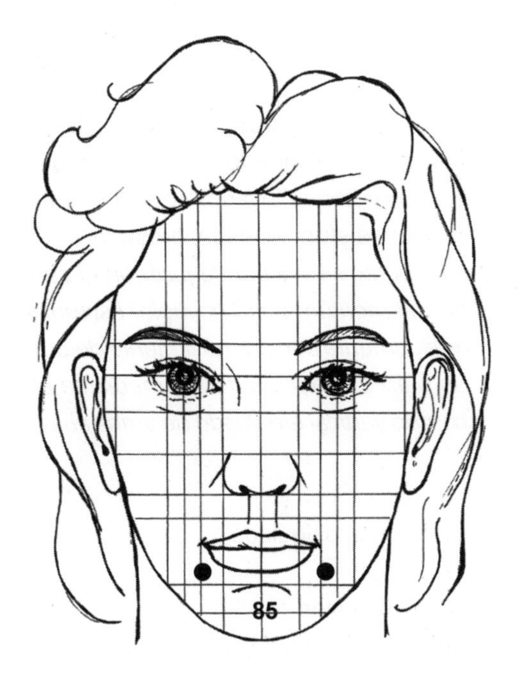

(Recordemos que los riñones están representados a ambos lados de la boca, a lo largo del pliegue nasógeno.)
Este punto gobierna la eliminación, los problemas urinarios y la retención de líquidos.
El masaje se efectúa, normalmente, asociándolo a la zona de los riñones, mediante un vaivén vertical a ambos lados de la boca.

Principales efectos
- Baja la fiebre
- Refresca
- Baja la tensión arterial
- Diurético
- Estimula las secreciones
- Drena el organismo
- Elimina venenos y toxinas
- Baja la tasa de colesterol
- Aligera la respiración
- Alivia el dolor del meñique
- Calma las molestias de la cistitis

Principales indicaciones
- Golpes de calor
- Hipertensión
- Retención de líquidos
- Edema
- Celulitis
- Cálculos renales
- Dolencias o insuficiencia urinaria
- Cistitis
- Tos seca
- Sequedad nasal
- Colesterol
- Tabaquismo
- Alcoholismo
- Drogas
- Intoxicaciones
- Asma
- Problemas del dedo meñique
- Dolores en la pantorrilla

87 - Vejiga, cuello del útero, ovarios, testículos, próstata, parte superior de la cabeza, nuca, occipucio

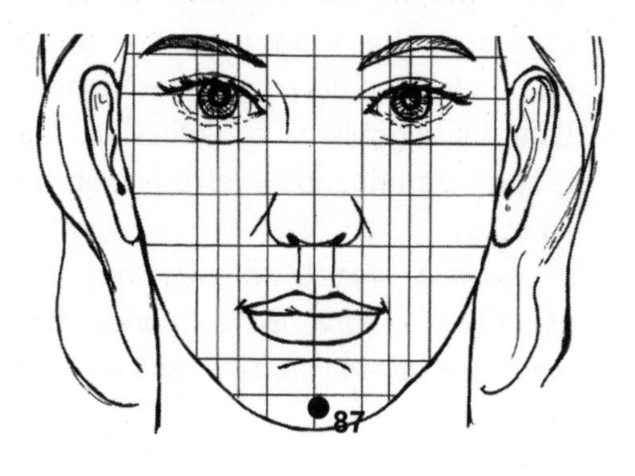

(Equivale al punto de acupuntura 3VC.) Para cualquier problema de vejiga (ptosis, enuresis...), ovarios (quistes, inflamación, disfunciones...), próstata.

Este punto se encuentra justo en el centro del mentón, en el hoyuelo. Estimular aisladamente con un movimiento de pulido o asociado al punto 22, mediante un barrido vertical efectuado de arriba abajo.

Principales efectos

- Distiende la nuca
- Baja la temperatura
- Provoca el descenso del chi
- Dispersa y hace circular la energía
- Alivia los dolores de la parte superior de la cabeza
- Alivia los dolores occipitales
- Diurético
- Regula el caudal urinario
- Alivia los dolores de la próstata
- Aligera la respiración
- Antiespasmódico
- Provoca la contracción del útero y la vejiga
- Desintoxica

Principales indicaciones

- Traumatismo craneal
- Tortícolis
- Rigidez de la nuca
- Dolor de cabeza
- Problemas psíquicos
- Insolación
- Golpe de calor
- Retención de líquidos
- Cistitis
- Asma
- Problemas respiratorios
- Espasmofilia
- Calambres
- Menstruación dolorosa
- Problemas de próstata
- Impotencia
- Frigidez
- Ptosis de la vejiga
- Ptosis del útero
- Quiste ovárico
- Fibroma
- Enuresis
- Intoxicaciones
- Sensación de ahogo
- Fiebre
- Menopausia
- Extremidades frías

97 - Ojos, sinus, brazos, codos, omoplatos, hombros, pies, dedo gordo del pie

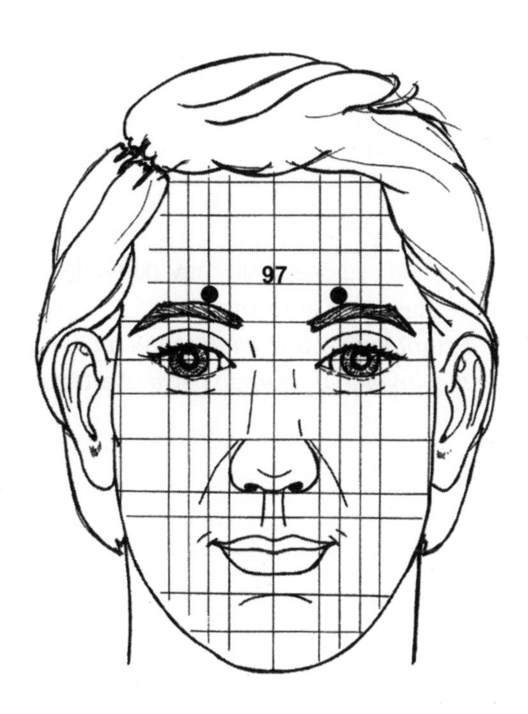

Trastornos de la vista, sinusitis, dolores de brazos y hombros... Codo de tenista, epicondilitis del codo o cualquier forma de dolor en esa región.
Con frecuencia este punto se estimula junto al 65, 34 y 98 mediante un barrido efectuado a lo largo de la línea de las cejas.

Principales efectos

- Alivia el dolor de hombros, brazos, codos y pies
- Reduce los problemas de las articulaciones
- Aplaca los dolores de los omoplatos
- Útil en caso de problemas con el dedo gordo del pie
- Aumenta la agudeza visual
- Facilita el tránsito intestinal

Principales indicaciones

- Codo de tenista
- Mala visión
- Dolor en los brazos, hombros, omoplatos
- Dolor en las extremidades inferiores
- Parálisis de las extremidades superiores
- Sinusitis
- Nariz congestionada
- Estreñimiento
- Fractura o esguince del dedo gordo del pie

98 - Ojos, codos, omoplatos, brazos

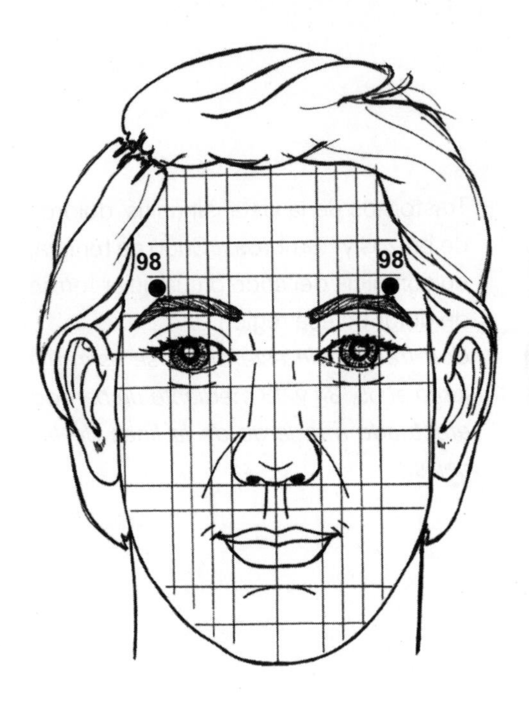

Las indicaciones son muy parecidas a las del punto anterior...
Estimularlo horizontalmente, con un movimiento de barrido hacia el exterior.

Principales efectos
- Mejora la visión
- Alivia los dolores de brazos y codos
- Facilita el tránsito intestinal

Principales indicaciones
- Codo de tenista
- Insomnio
- Estreñimiento
- Problemas de visión
- Dolores de brazos
- Dolor de las dorsales

100 - Ojos, nuca, occipucio, muñecas, tiroides, mitad del rostro correspondiente: 100 a la derecha = mitad derecha

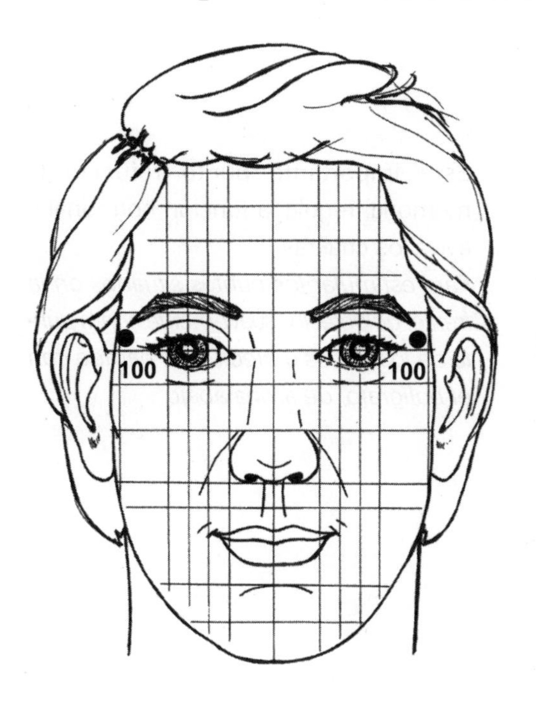

Masajea este punto, situado en el borde óseo en el extremo de la ceja, con un movimiento de pulimento suave, apoyándote en las cejas. Así podrás barrer verticalmente la zona en dirección al punto 130; o bien estimula simultáneamente los puntos 180, 100 y 130.
Este punto influye especialmente en los dolores oculares, las migrañas oftálmicas y la tiroides.

Principales efectos
- Suaviza las molestias oculares
- Relaja el sistema nervioso
- Alivia las sienes y cervicales
- Regula la presión arterial
- Fortalece el corazón
- Regula el ritmo cardíaco
- Baja la fiebre
- Facilita el flujo de la energía en el lado correspondiente del rostro

Principales indicaciones
- Insuficiencia coronaria
- Migrañas oftálmicas
- Vértigos
- Dolores o problemas oculares
- Parálisis facial
- Hemiplejia (en el rostro)
- Fiebre
- Insomnio
- Tortícolis
- Dolores cervicales
- Dolores occipitales
- Accidentes o dolores en la muñeca: fractura, esguince, artrosis...
- Dolores en las rodillas
- Enfermedad de Basedow, bocio
- Problemas de la tiroides

103 - Parte superior de la cabeza (22VG), frente, ojos, columna vertebral, cerebro, hígado, hipófisis

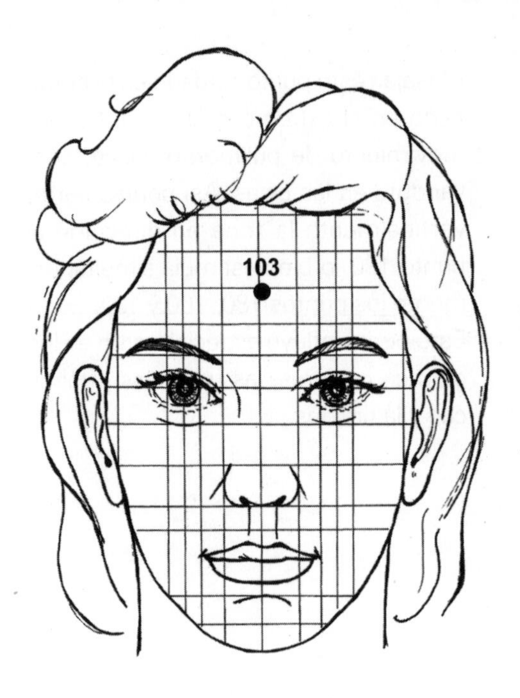

Este importante punto refuerza la memoria, regula la función hormonal y aviva los chakras.

Para estimular los puntos situados en la frente, golpetéalos suavemente con la punta de los dedos o efectúa un barrido con el bolígrafo, de arriba abajo.

Principales efectos

- Mejora la memoria
- Relaja
- Tonifica
- Regula el chi
- Regula la composición de la sangre
- Alivia los dolores ubicados en la parte superior de la cabeza
- Despeja la mente
- Contiene las secreciones excesivas

Principales indicaciones

- Depresión nerviosa
- Cansancio físico
- Epilepsia
- Dolores en la parte superior del cráneo
- Pérdida de memoria
- Dolores de la columna vertebral
- Hemorroides
- Prolapso uterino
- Traumatismo craneal

106 - Columna vertebral, cervicales, garganta, ojos, sinus, parte superior de la cabeza, nuca, región occipital, frente, omoplatos

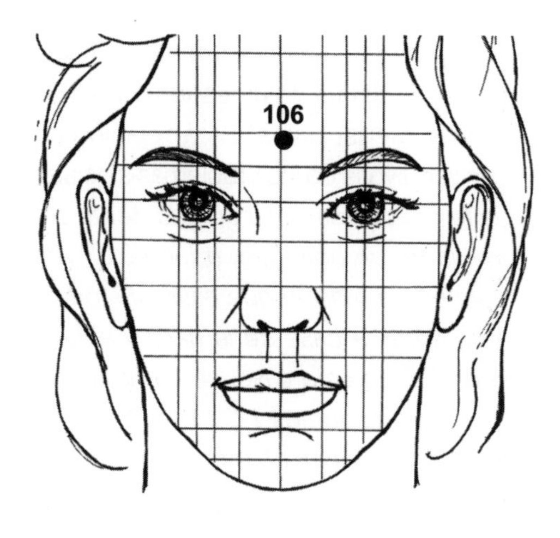

Este punto estimula el riego cerebral y facilita la concentración. Se utiliza para aliviar la mayoría de los problemas que atañen a la cabeza.

Practica como se ha indicado anteriormente.

Principales efectos
- Relaja
- Tonifica
- Alivia los dolores maxilares
- Mitiga los dolores dentales
- Alivia los dolores cervicales
- Regula el ritmo cardíaco
- Regula la transpiración
- Despeja la nariz

Principales indicaciones
- Dolencias cardíacas
- Insomnio
- Dolores cervicales o frontales
- Dolor de dientes
- Transpiración excesiva
- Nariz congestionada
- Bocio
- Ansiedad

Del punto 8 al punto 106 (pasando por el 26): cervicales

Frecuentemente es muy útil unir estos puntos: artrosis cervical, dolor de cabeza, trastornos visuales, pérdida de memoria, riego cerebral, disfunción de la tiroides...

Masajea la zona 8 – 16 y, a continuación, a lo largo de las cejas, las zonas de los hombros y los brazos.

113 - Páncreas, próstata, ovarios, útero, nervio neumogástrico

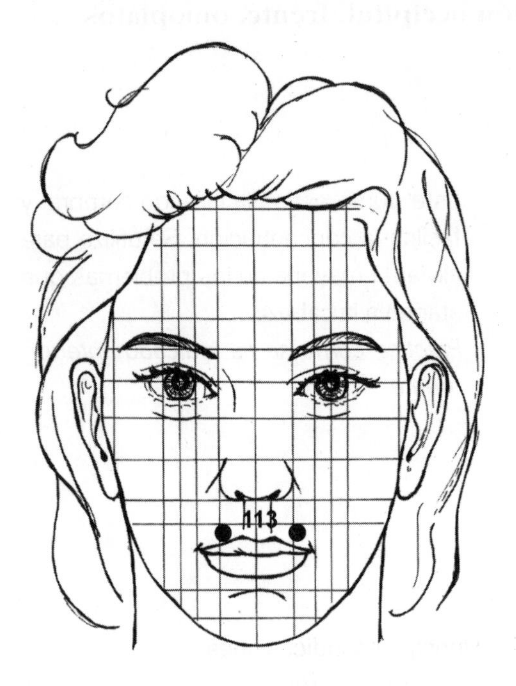

Este punto actúa eficazmente en la diabetes, la cistitis, la digestión y los trastornos menstruales. Está relacionado con la mayoría de los problemas sexuales. *Se lo puede estimular aisladamente con ayuda de un bolígrafo, o bien incluyéndolo en un masaje que estimule toda el área entre la base de la nariz y el labio superior. En este caso, se barre la zona que une los puntos 17, 113 y 7 horizontalmente, hacia el interior (es decir, hacia el centro).*

Principales efectos

- Estimula las defensas inmunitarias
- Alivia los dolores de ovarios
- Mejora los problemas de próstata
- Alivia los dolores a la altura de los muslos
- Equilibra el funcionamiento del páncreas
- Facilita la digestión

Principales indicaciones

- Dolencias de los ovarios
- Problemas de la próstata
- Dolores en los muslos
- Indigestión
- Diabetes
- Enfermedades del páncreas
- Ciática
- Asma
- Colitis
- Bocio

124 - **Vesícula biliar y bilis** (a la derecha), **bazo** (a la izquierda), **cerebro**

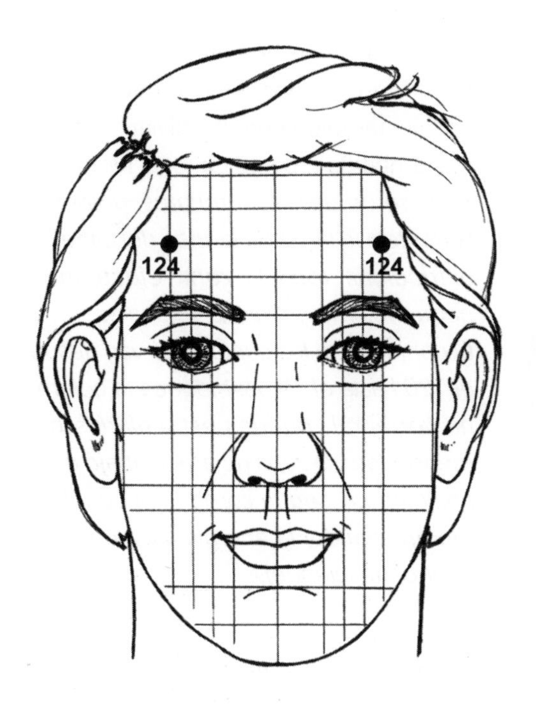

Éste es uno de los puntos básicos señalados anteriormente. Relaja y tonifica a un tiempo.

Masajea el punto horizontalmente en una extensión de unos dos centímetros.

Principales efectos

- Calma el sistema nervioso
- Alivia los dolores
- Disminuye la transpiración
- Suaviza las alergias
- Permite recuperar las fuerzas
- Regula el chi

Principales indicaciones

- Dorsales, lumbago
- Síndrome de abstinencia por consumo de drogas
- Astenia, fatiga nerviosa
- Insomnio
- Pérdida de memoria
- Dolor de cabeza
- Sudor frío
- Epistaxis (sangrado nasal)
- Sinusitis
- Soriasis
- Problemas cutáneos
- Convalecencia

126 - Parte superior de la cabeza, columna vertebral, cóccix, ano, recto, vejiga, nariz, cerebro

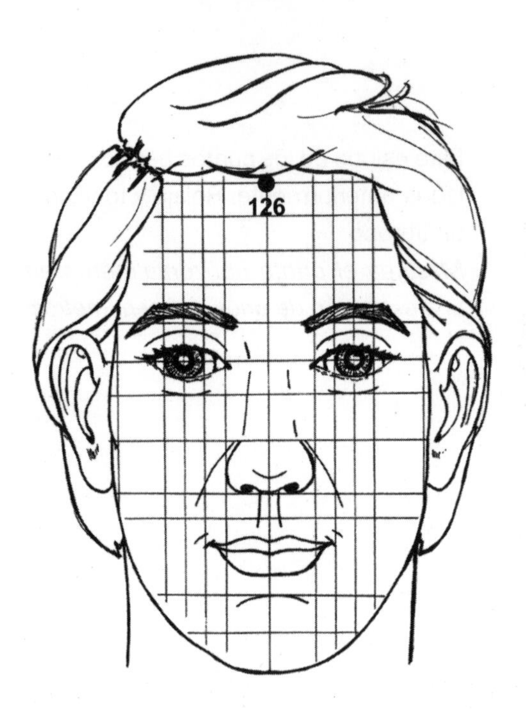

La estimulación de este punto y de la zona que bordea el nacimiento del cabello también permite aliviar los dolores lumbares y, por lo tanto, el lumbago. *En caso de dolores lumbares, golpetea la frente a lo largo de la línea del cabello, o fricciona toda la zona efectuando pequeños movimientos verticales.*

El conjunto de los puntos que van desde el 126 hasta el 19 desbloquea la columna vertebral: puedes estimularlos barriendo toda la zona de arriba abajo o de abajo arriba, según como te encuentres (en un sentido, la energía asciende; en el otro, desciende).

> *Nota: ¡no estimular en caso de hipertensión!*

Principales efectos

- Sube la tensión arterial
- Estimula el chi y la energía orgánica
- Alivia el dolor: parte superior de la cabeza y cóccix
- Reduce las secreciones
- Provoca el eructo (por ejemplo, en los bebés)

Principales indicaciones

- Hipotensión
- Dolor en la parte superior de la cabeza
- Hemorroides
- Micciones frecuentes (problemas de próstata)
- Catarro
- Sinusitis
- Dolores en el cóccix
- Lumbago

127 - Intestino delgado, talón, tobillo, útero (parte superior), zona pélvica, corresponde al Vaso Concepción Yin

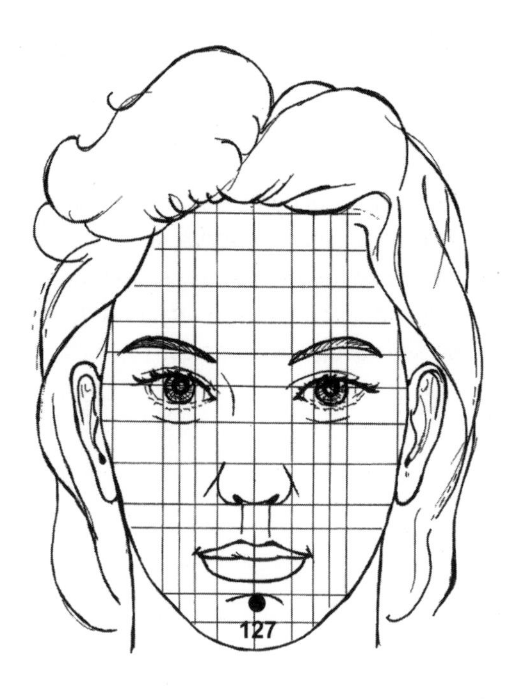

Este punto, situado en el centro, en el hoyuelo entre la boca y el mentón, ha de estimularse si aparecen dolores menstruales o de la menopausia, así como todo problema relativo a la sexualidad en general. También actúa en la colitis espasmódica y la diarrea (estimular al inicio de ésta).

Los puntos situados en el mentón han de estimularse de arriba abajo, verticalmente.

Principales efectos

- Poderoso efecto de distensión nerviosa
- Tonifica el vientre
- Regula el peristaltismo intestinal
- Tonifica
- Estimula el chi, la energía orgánica

Principales indicaciones

- Insomnio
- Transpiración de manos y pies
- Astenia
- Cansancio nervioso
- Asma
- *Shock* medicamentoso
- Indigestión
- Gastritis
- Dolor de tripa
- Leucorreas
- Dolores menstruales
- Síndrome de abstinencia por consumo de drogas
- Tabaquismo
- Chasquido de dientes (crisis)
- Dolores dentales (maxilar inferior)
- Parálisis facial
- Ciática
- Dolor en los talones
- Dolores cervicales
- Pesadez
- Disentería, diarrea
- Solitaria
- Dolores que impiden inclinar la cabeza hacia atrás

130 - Ojos, manos, muñecas

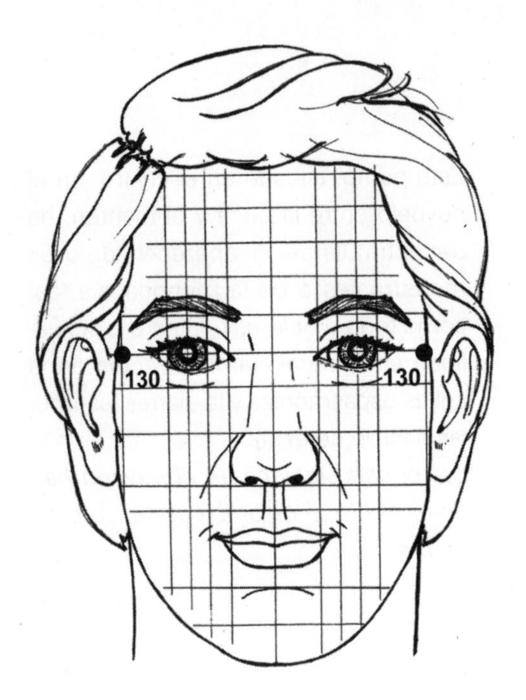

También es el punto de las migrañas. *Masajear verticalmente este punto, situado en el hueco que se encuentra justo debajo del hueso orbital. A menudo se lo asocia al punto 60.*

Principales efectos

- Alivia la inflamación de los ojos, orejas, brazos, manos y dedos
- Contrae el iris
- Despeja la vista

Principales indicaciones

- Problemas oculares
- Otitis, dolor de oídos
- Dolor en los brazos, manos y dedos
- Dolencias metacarpianas
- Dolor de cabeza, migrañas
- Dolor en las sienes
- Dolor en los pies (en el meridiano de la vesícula biliar)

143 - Colon, recto, cóccix

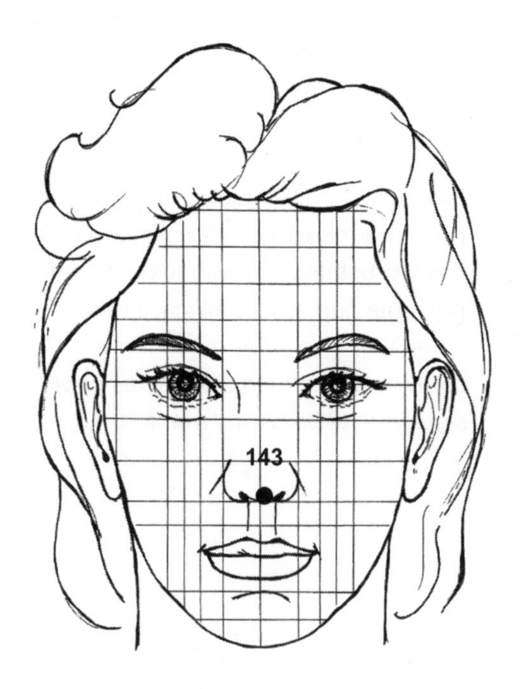

Este punto actúa fundamentalmente en los problemas intestinales y del cóccix. *Estimula el punto con el bolígrafo justo bajo la punta de la nariz (no confundir con el punto 19, situado en la base de la nariz).*

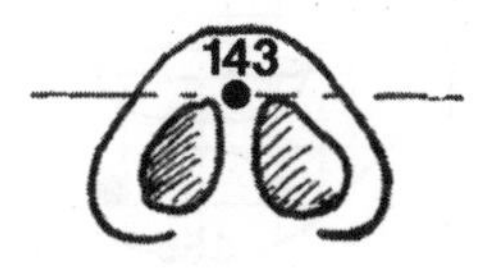

Nariz vista de fondo

Principales efectos
- Facilita el tránsito intestinal
- Baja la fiebre, refresca
- Alivia los dolores de cóccix
- Provoca el descenso del chi
- Provoca transpiración
- Baja la tensión arterial

Principales indicaciones
- Hipertensión
- Dolores en el cóccix
- Dorsalgia
- Ciática
- Hemorroides
- Estreñimiento
- Fiebre sin sudor
- Golpes de calor

156 - Pantorrillas, corazón, ovarios, testículos, próstata, colon

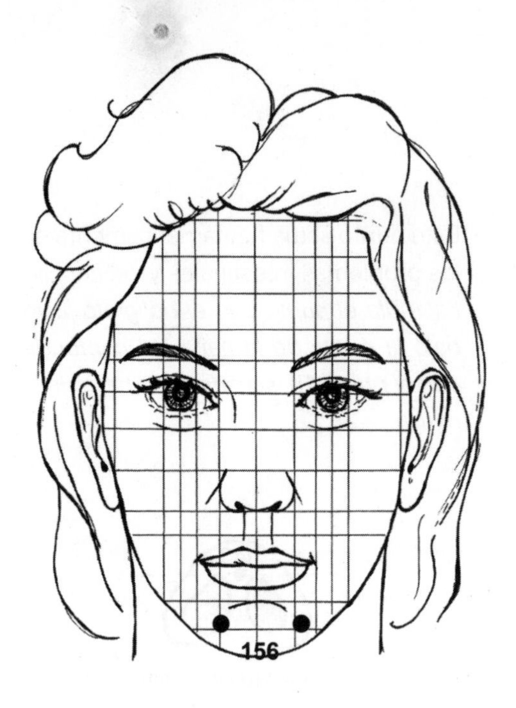

Situado a ambos lados del 127, este punto permite aliviar las dolencias ováricas y prostáticas. Como los anteriores, presenta numerosas aplicaciones.
Este punto se puede asociar al 127: barre horizontalmente estos tres puntos, siguiendo el borde del mentón.

Principales efectos
- Regula las funciones hormonales
- Normaliza el ciclo menstrual
- Regula la circulación sanguínea
- Ajusta el flujo de la energía
- Regula la tensión arterial
- Regula el intestino
- Alivia los dolores menstruales
- Mejora los ovarios y la próstata
- Regula el ritmo cardíaco
- Tonifica el sistema inmunitario
- Aumenta la resistencia del organismo
- Alivia las piernas, pies, rodillas, cejas, cuello, cervicales y hombros

Principales indicaciones
- Calambres en las pantorrillas
- Dolores en piernas y rodillas
- Dolores en las cejas
- Parálisis facial
- Bloqueo cervical
- Estreñimiento
- Dolores en la región pélvica
- Patologías de los ovarios
- Problemas de próstata
- Impotencia
- Frigidez
- Menstruación dolorosa
- Arritmias cardíacas
- Taquicardia
- Nariz congestionada
- Transpiración (manos y pies)
- Hipertensión, hipotensión

180 - Plexo solar, sien, dedo pulgar

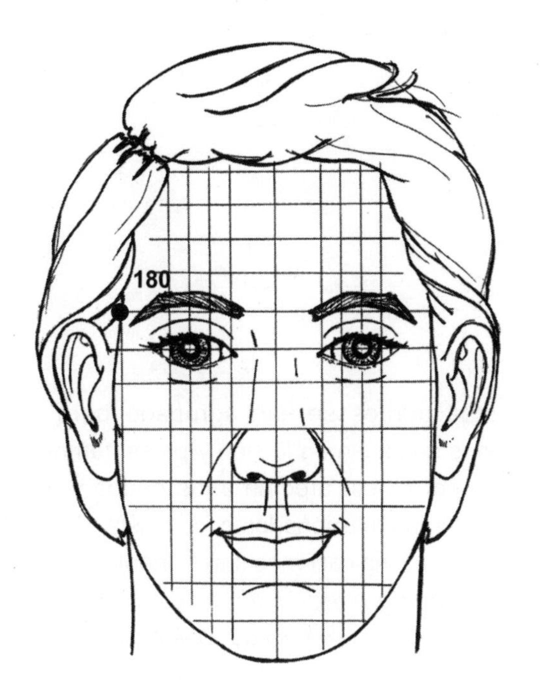

Este punto provoca relajación, actúa en la zona gobernada por el plexo solar y elimina ciertas migrañas.

Nota: la estimulación de este punto a veces induce a la transpiración o humedece las manos.

Masajear en dirección a la oreja.

Principales efectos
- Antiinflamatorio
- Baja la fiebre
- Provoca sudoración
- Baja la tensión
- Calma las sienes
- Alivia el pulgar
- Relaja el plexo solar

Principales indicaciones
- Bronquitis
- Estado gripal sin sudoración
- Dolores en las sienes
- Dolores en los pulgares
- Amigdalitis
- Angina, dolor de garganta
- Plexo solar dolorido
- Hipertensión
- Inflamación de los ojos, conjuntivitis
- Dolores dentales
- Migrañas

177 - Anular, ojos

185 - Índice, ojos

191 - Meñique, ojos, codos, corazón

195 - Dedo corazón, ojos

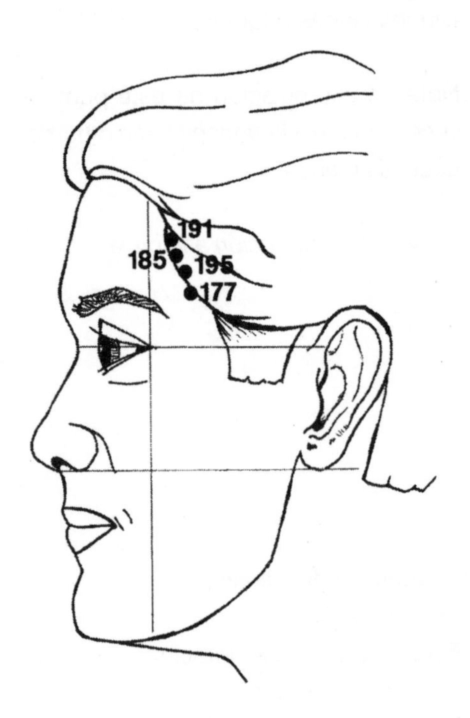

Estos puntos se han agrupado porque todos se sitúan en la sien y presentan rasgos comunes: afectan a los dedos y los problemas relacionados con la vista. Por lo tanto, sus indicaciones son evidentes.

Cada punto puede estimularse separadamente cuando se trata de aliviar una molestia en un dedo. Por el contrario, si quieres aliviar los ojos o mejorar la vista, lo mejor es estimularlos en su conjunto con un masaje vertical. También puede incluirse el punto 100.

197 - Rodillas, hígado, ojos, rótulas

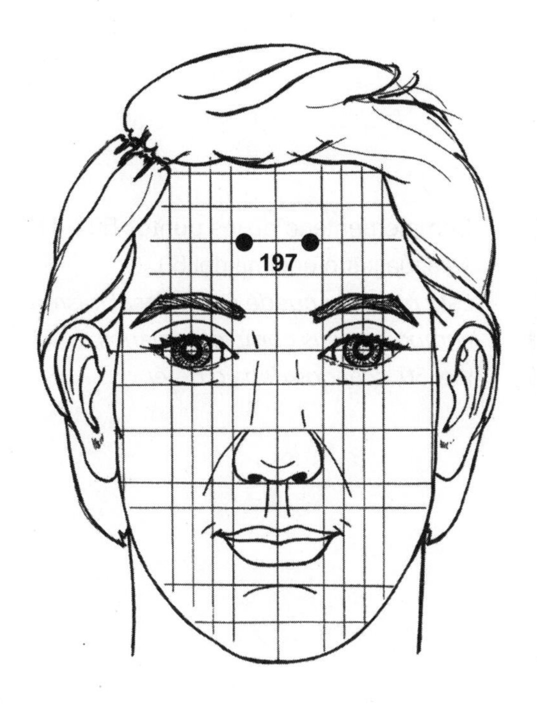

Este punto es vecino del 103.
Se puede estimular verticalmente. Ten presente que también hay una zona refleja de las rodillas a ambos lados de la boca.

Principales indicaciones

– Todos los problemas relacionados con las rodillas
– Artrosis de la rodilla
– Problemas con los ligamentos
– Hepatitis
– Intoxicación
– Migraña oftálmica
– Visión defectuosa

233 - Hígado

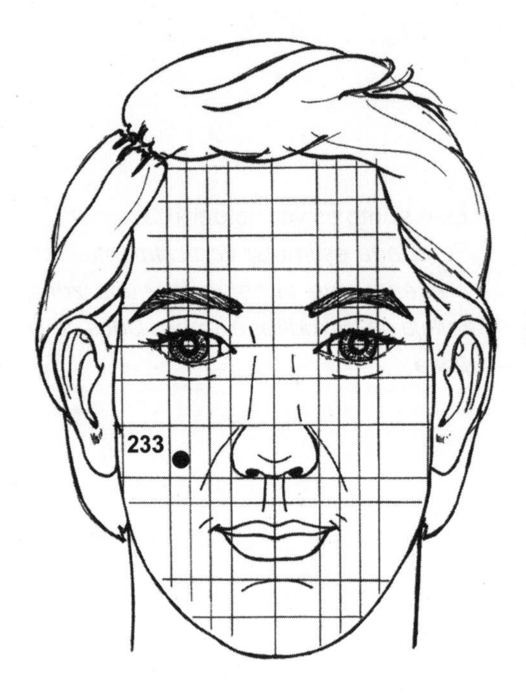

Complementario de los puntos 50 y 41, se sitúa justo encima del 50.

Este punto se puede estimular al mismo tiempo que sus complementarios: el 41 y el 50, situados debajo de él.

Principales efectos

- Desintoxica
- Baja la tasa de colesterol
- Calienta
- Drena
- Estimula las defensas inmunitarias
- Alivia los dolores hepáticos y vesiculares
- Regula la transpiración
- Regula la circulación sanguínea

Principales indicaciones

- Hepatitis
- Congestión hepática
- Disfunción de la vesícula biliar
- Cálculo biliar
- Alcoholismo
- Toxicomanía
- Hemorroides
- Hinchazón del vientre
- Colesterol
- Transpiración excesiva
- Mala circulación
- Dolores en las costillas

287 - Ovarios, testículos, vagina

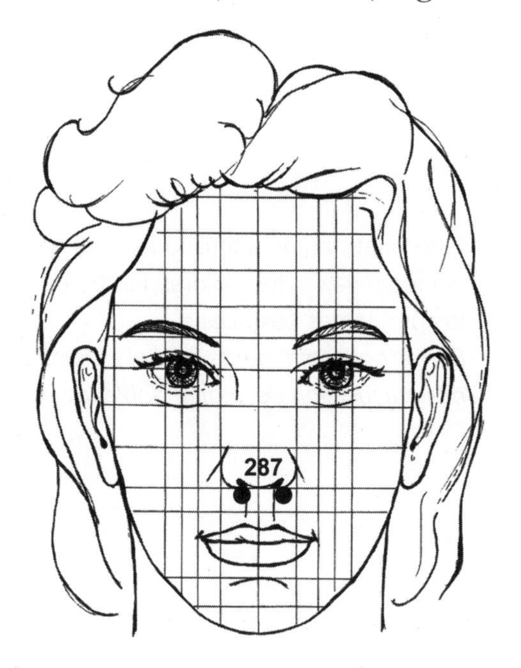

Este punto se encuentra en el labio superior, justo en el centro de la aleta nasal, en la misma línea que el 19; comparte indicaciones análogas con el 7 y el 113.

Se puede estimular de forma independiente o en relación con otros puntos circundantes. En ese caso, masajea verticalmente el labio superior, hasta el 7 y el 113.

Principales efectos

- Contiene las hemorragias uterinas
- Regula las funciones genitales
- Regula las secreciones vaginales
- Alivia la leucorrea
- Libera energía
- Reconforta el organismo
- Elimina las toxinas
- Alivia las dolencias menstruales
- Incrementa la potencia sexual

Principales indicaciones

- Menstruaciones abundantes e irregulares
- Dolores de la ovulación
- Mastitis
- Leucorrea
- Hemorragias uterinas
- Hemorroides
- Problemas de próstata
- Impotencia
- Bursitis
- Disfunciones sexuales
- Inflamaciones ginecológicas
- Sequedad vaginal

300 - Riñones, región lumbar, índice, sexualidad

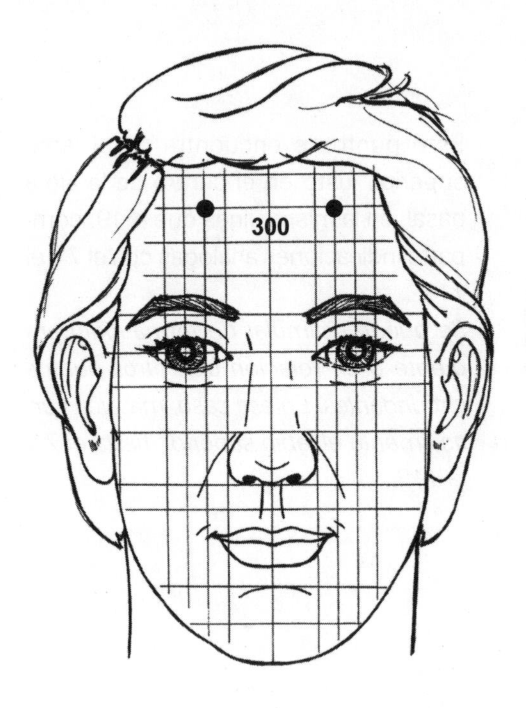

Este punto atañe sobre todo a las funciones renales, los dolores lumbares y los problemas sexuales.
Barrer horizontalmente con el bolígrafo o la articulación del índice doblada.

Principales efectos
- Tonifica los riñones
- Despierta el vigor sexual
- Facilita la erección
- Mejora el dolor de los riñones
- Alivia los dolores lumbares
- Calma el dolor del índice

Principales indicaciones
- Tabaquismo
- Dolores lumbares
- Neuralgias
- Deseo frecuente de orinar de noche
- Cansancio físico
- Caída de la energía sexual

342 - Columna vertebral, colon, lumbares, pies fríos

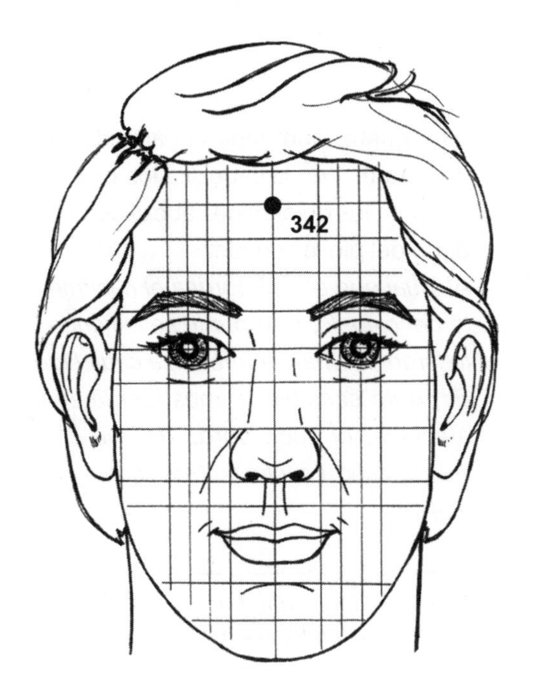

Este punto es, selectivamente, el del lumbago: hay que estimularlo nada más revelarse los primeros síntomas. (Recordemos que las cervicales están representadas por el 26 y las dorsales en el caballete nasal). Los puntos 126 y 342, que corresponden a la base de la espalda, se estimulan normalmente en un mismo movimiento.

126 y 342: estimula de arriba abajo con movimientos breves; a continuación, golpetea descendiendo por la frente y la nariz, luego remonta y concluye en el punto 0.

Principales efectos

- Alivia la columna vertebral
- Equilibra el funcionamiento intestinal
- Calienta la planta de los pies

Principales indicaciones

- Dolores lumbares
- Lumbago
- Flatulencias
- Colitis
- Pies fríos

365 - Dedos del pie, ano, parte superior de la cabeza, nuca, región occipital

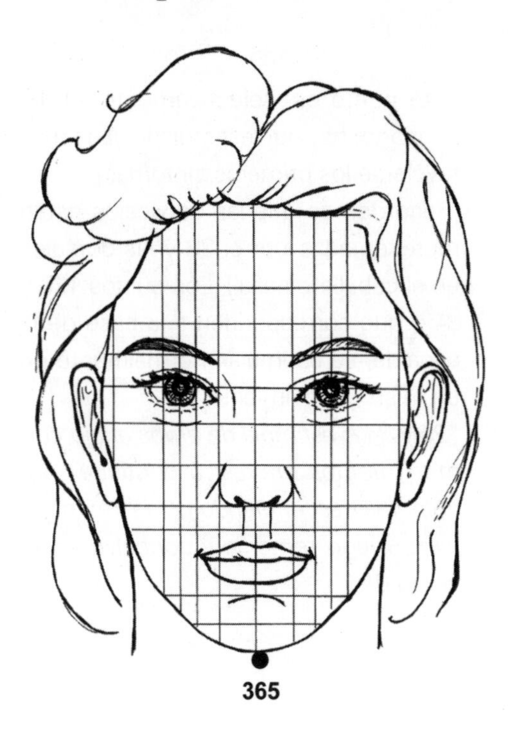

Este punto, que tiene la particularidad de curarte... de la cabeza a los pies, alivia tanto los dolores de cabeza como un dedo del pie lesionado.

Al igual que el 126 bordea el nacimiento del cabello, este punto se extiende a lo largo del maxilar inferior, a cada lado. El punto sensible te mostrará la zona afectada: el dedo gordo del pie es el más cercano al centro, y el meñique, el más alejado.

> *Nota: ¡no estimular en caso de hipertensión!*

Principales efectos

- Regula la contracción muscular
- Regula el peristaltismo intestinal
- Tonifica
- Sube la presión arterial
- Regula las secreciones

Principales indicaciones

- Diarreas
- Hemorroides
- Dolores de los pies
- Lumbago
- Ciática
- Dolores en la región de las nalgas
- Cistitis
- Dolores rectales

461 - Talones, tobillos

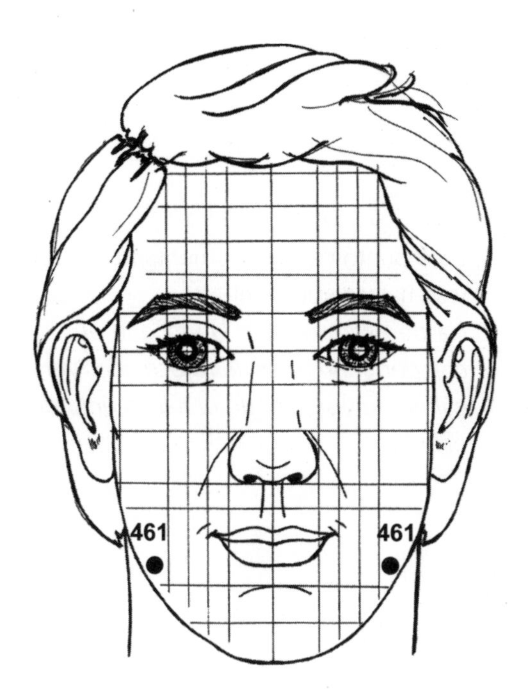

Este punto se sitúa bajo la mejilla, en el borde del maxilar. Si te "tuerces" el tobillo, estimúlalo en cuanto sea posible: así podrás evitar las desagradables consecuencias de un esguince (dolor, inflamación, etc.).

Puede estimularse con la punta de acero o con la coyuntura del dedo doblado; también se puede masajear con el bolígrafo.

> *Nota: ¡no estimular en caso de hipotensión!*

Principales efectos

- Alivia el talón y el tobillo
- Baja la tensión arterial

Principales indicaciones

- Hipertensión
- Dolor en el talón
- Tobillo herido
- Torcedura, esguince
- Ciática

560 - Lumbares, riñones

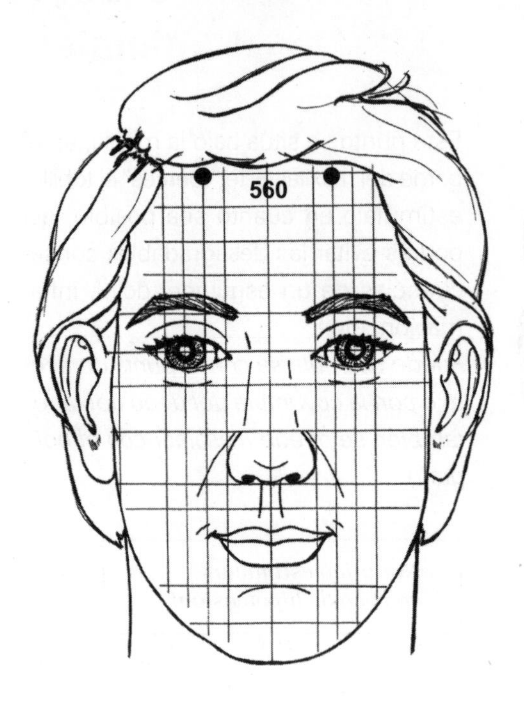

Este punto es complementario del 126 y se halla cerca de él.
Ha de estimularse a la vez que el 126, con pequeños masajes ejecutados verticalmente y siguiendo el nacimiento del cabello.

Principales efectos
- Mejora los dolores lumbares
- Alivia los riñones
- Gobierna la eliminación de residuos

Principales indicaciones
- Lumbago
- Dolores en la parte superior de la cabeza
- Problemas urinarios
- Enuresis
- Problemas de próstata
- Hemorroides
- Dolores del cóccix

5 Dien' Cham': también para animales

Este método procedente de Vietnam también arroja resultados espectaculares con los animales.

El Dien' Cham' destinado a los animales es muy parecido al que empleamos en humanos. Se utilizan los mismos puntos reflejos e idénticos diagramas, pero adaptados a la morfología concreta de cada animal.

En este libro me limitaré a nociones prácticas básicas que te prestarán un gran servicio: ¡no se trata de escribir un tratado de reflexología veterinaria! Remítete a los esquemas, válidos en todos los animales. Y no olvides, para ello, la analogía: funciona del mismo modo que en nosotros y te permitirá deducir rápidamente algunas zonas reflejas en los diagramas propuestos.

Un método muy difundido

En Vietnam esta técnica es de uso común en animales. Además, ¡a ellos les encanta!

Tenemos costumbre de practicar cada noche una breve sesión para relajarnos y prepararnos para el sueño. Nuestro perro observa cómo lo hacemos y, una vez hemos acabado, pide insistentemente que no le olvidemos: mueve la cola, lame el rodillo dentado que a veces utilizamos y me tiende su hocico expectante. No me queda más remedio que obedecer. Entonces estimulo las principales zonas de su hocico y frente con el rodillo, demorándome en aquellas correspondencias que le convienen.

En cuanto a mis gatos, prefiero usar los dedos porque el rodillo les asusta un poco. También podemos practicar el Dien' Cham' como el señor

Jourdain componía versos: sin saberlo, cuando, por ejemplo, acariciamos cuidadosa y atentamente el hocico de nuestra mascota (columna vertebral, sistema digestivo, pulmones, órganos genitales...), el envés o el revés de las orejas (sistema inmunitario, columna vertebral, equilibrio físico y psíquico...), la frente y los arcos ciliares (sistema nervioso, patas, cabeza...).

Los diversos sistemas de proyección

En los animales ocurre exactamente como en nosotros: se han evidenciado los mismos sistemas de proyección y será muy fácil aprenderlos. Obviamente, se suele reemplazar el trabajo de los puntos por el de las zonas, más asequible: prueba a pedirle a tu gatito que te mire de frente y sin moverse para que puedas situar los puntos en la plantilla imaginaria.

¡Siempre la analogía!

Por el contrario, la analogía funciona siempre, y en el rostro del animal encontrarás los mismos puntos de referencia que en el tuyo: hallamos siempre la misma estructura, con una frente, las orejas, los ojos, nariz, pómulos y la zona alrededor de la boca. Aprende a establecer paralelismos entre las correspondencias que has comprobado en tu rostro... y el suyo. El Dien' Cham' es mágico en el sentido de que se adapta a todas las morfologías, ¡y funciona!

Las articulaciones

Piensa en las varias zonas reflejas de las articulaciones: la cabeza del animal también presenta diversos ángulos que generalmente indican su emplazamiento. Recuerda que donde se encuentre la proyección de la columna vertebral también localizarás la del tórax y el abdomen, con todos los órganos internos.

Las zonas reflejas de la frente

La frente de la mayoría de los animales es una magnífica zona refleja, vasta y de fácil acceso. Para localizar las diversas zonas, ten en cuenta una línea que frecuentemente pasa por delante de las orejas siguiendo la curvatura de la frente: es análoga a la que en nosotros dibuja el nacimiento del cabello. La otra pasa por el arco ciliar superior. Entre ambas encontrarás el plexo solar y la línea de separación entre tórax y abdomen.

Es fácil visualizar el equivalente al diagrama 9 en la frente del animal, con una proyección de la cabeza en el hocico, por ancho que éste sea. Repasa los diagramas que he descrito y acostúmbrate a aplicarlos en estos casos. Las diversas proyecciones de los miembros del cuerpo te serán de gran utilidad.

Proyección general del cuerpo en el rostro

En la práctica emplearás sobre todo la proyección del cuerpo equivalente al diagrama 2, así como ciertas zonas básicas que recogen los principales puntos reflejos y sus indicaciones más importantes (diagrama 1). Remítete a las figuras 30 y 31, y adáptalas.

Pronto podrás reconocerlas, y tu animal te dirigirá en tus tanteos, puedes estar seguro. Te sorprenderán los resultados obtenidos en pocos segundos; tus caricias adquirirán pronto un ligero cariz terapéutico que te incitará a dedicarles más tiempo. ¿Qué más puede soñar tu gato o perro?

Un remedio para caballos

Esta técnica también es muy eficaz para tratar a los caballos. Existe, además, un rodillo algo más grande que facilita la tarea, siempre y cuando este nuevo instrumento no asuste a tu desconfiado compañero.

Muchos problemas de patas y pezuñas se pueden aliviar de este modo. Lo mismo ocurre con dolencias de la espalda y se han comprobado buenos resultados en casos donde otras terapias habían fracasado. Lo ideal, en caso de caída o lesión accidental, es tratarlo en cuanto sea posible: el restablecimiento de una buena circulación sanguínea y energética local a menudo permite limitar las consecuencias. En este caso la estimulación ha de prolongarse durante muchos minutos.

Si tu caballo lo acepta de buen grado, lo ideal sería practicar regularmente en él una rápida estimulación general equivalente a la sesión básica; ¿por qué no después del paseo o la vuelta al establo, después de almohazarlo cuidadosamente? Su recuperación se acelerará, así como el estado de su sistema inmunitario y nervioso.

Cómo estimular

Lo más sencillo es masajear vigorosamente o presionar la zona refleja con la punta del dedo. Si tienes un rodillo dentado, basta con pasarlo suavemente por las zonas escogidas: al animal le gustará el leve efecto de limadura. Obviamente, evitarás usar puntas, aun redondeadas: nuestros amigos a veces son desconfiados y un falso movimiento podría herirlos.

La sesión puede durar de uno a diez minutos: depende de lo que quiera el interesado. Puede realizarse en cualquier momento. En caso de trastornos digestivos, es deseable practicar la estimulación después de las comidas.

Al igual que ocurre con nosotros, cuidado con las hembras preñadas: es preferible no emplear el Dien' Cham' salvo en caso de urgencia.

Localización de las zonas reflejas (figuras 30 y 31)

No existe nada más sencillo, al menos en lo que respecta a este procedimiento simplificado. Tanto si tu animal es grande como pequeño, tanto si su hocico es alargado como achatado, si es un gato, un perro o un pequeño conejo, los puntos de referencia son los mismos. Sigue los esquemas y adáptalos a su morfología. Hay algunas reglas básicas que conviene conocer:

— **La testuz** (la parte central del hocico) representa la columna vertebral. En el final del morro encontramos la zona refleja del cóccix y en el nacimiento del hocico (entre los ojos), la de la nuca. Entre ambos extremos están representadas todas las vértebras:
  - partiendo de la parte final del morro, las lumbares (con las correspondencias de los riñones, intestinos y órganos genitales),
  - a continuación las dorsales (con las correspondencias de los bronquios, pulmones y corazón),
  - por último, las cervicales (con la garganta y la tiroides).

Es muy útil estimular esta zona en caso de accidente, parálisis y artritismo, así como en la disfunción renal, trastornos digestivos o problemas respiratorios (en todos estos casos procura estimular con preferencia los puntos más directamente relacionados con esas dolencias). A ambos lados de la testuz encontramos las zonas reflejas de la pelvis (en el final del morro), de la caja torácica (hacia el centro) y del cuello (parte superior).

— **El arco ciliar** o borde óseo que domina la órbita ocular. Corresponde a los hombros (hacia el nacimiento del hocico), a los miembros anteriores (parte central) y, por último, a las "manos" y dedos (hacia la sien). La estimulación de esta zona ejerce un efecto tranquilizador en animales estresados o nerviosos.

— **La frente**: esta zona es importante y puedes estimularla en su conjunto, aun si no sabes exactamente a qué corresponde cada punto. Ante todo, en ella encontramos la representación de la cabeza y, en el centro, de las funciones cerebrales. Pero también la columna vertebral (a lo largo de una línea central que parte del hocico y acaba en las orejas) y prácticamente todas las zonas reflejas del cuerpo (repasa el diagrama de la frente). ¡No dudes en "mimar" especialmente esta zona!

— **Alrededor del final del morro**: esta zona corresponde a la cadera. Es bueno estimularla en caso de parálisis o de lesión accidental,

Figura 30
Proyección del cuerpo en la cara (gato)

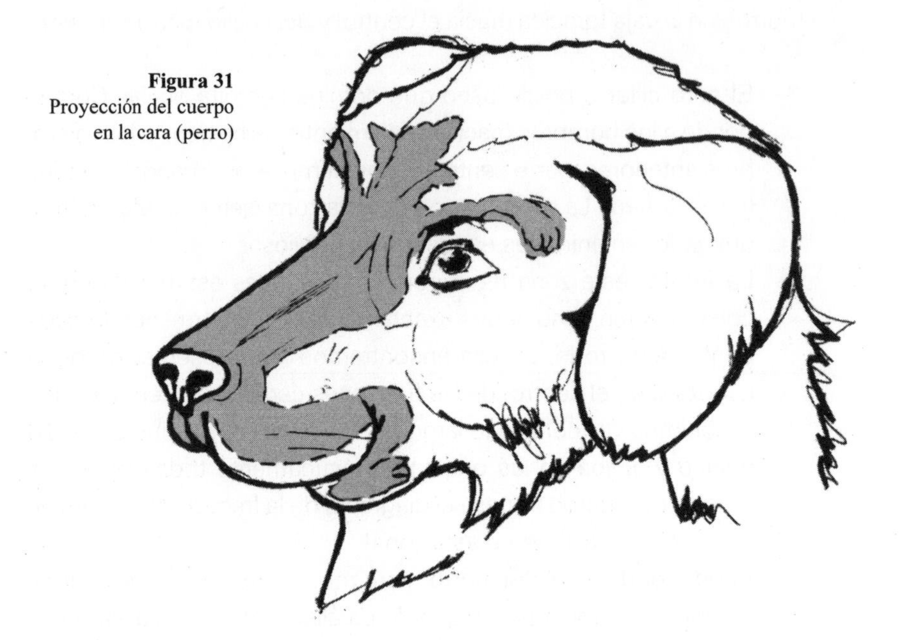

Figura 31
Proyección del cuerpo en la cara (perro)

pero también de displasia de la cadera. Nota: no estimules directamente el morro (a tu amigo no le gustará).

— **El philtrum** (entre la base del morro y el labio superior): justo bajo el morro se encuentra un punto muy importante que puede salvar la vida de tu animal. Es un punto de reanimación, de tonificación, que ha de estimularse en caso de estado de *shock*, de pérdida de conocimiento, y también en casos de gran fatiga y debilidad del sistema inmunitario. Provoca el vómito, si éste es necesario, al cabo de una estimulación prolongada: puede ser útil si tu perro acostumbra a tragar todo lo que encuentra. En una sencilla sesión, estimúlalo suavemente para que el animal se acostumbre y se reactive su energía vital. Así no tendrás problemas para utilizarlo de manera más enérgica si se presenta un problema grave.

Un cuerpo extraño atora la garganta de tu animal

O bien se ha "atragantado" o un pedazo de comida ha quedado en su garganta (ocurre con los gatos): lo ves postrado y en trance de ahogarse.
No esperes un segundo: estimula fuertemente este punto de reanimación durante unos instantes; en general, tu animal expulsará rápidamente el objeto en cuestión. Por supuesto, adapta la estimulación al tamaño de tu animal doméstico: con fuerza no significa lo mismo en un pastor alemán que en un gato (él te lo hará comprender enseguida).
Y si este procedimiento no funciona porque el objeto es demasiado grande, lleva urgentemente al animal al veterinario más cercano.

— **Del philtrum** (bajo el morro) **a la comisura de los labios**: esta zona corresponde al muslo y al intestino. El estómago está representado en la parte superior. A la derecha también encontramos el punto del hígado; a la izquierda, el del bazo.
— **La comisura de los labios** corresponde a la articulación de las rodillas, al tarso, y también a los riñones. La zona parte de la comisura de los labios y asciende algunos centímetros en dirección a la oreja.
— **De la comisura de los labios al centro del mentón**: esta zona corresponde a la pierna, al metatarso, a la pezuña y a los dedos (centro del mentón). Muy útil en caso de fractura: la estimulación frecuente de las zonas reflejas permite acelerar la osificación y una mejor recuperación, incluso si el miembro está escayolado.
— **El contorno de la oreja** es una importante zona de estimulación, que corresponde al punto 0 en los humanos. Sus múltiples correspondencias la señalan como el final obligatorio para toda sesión de Dien' Cham'. Además, es la zona preferida de todos los animales: ¿qué amo no ha rascado nunca detrás de la oreja de su gato o perro?

La sesión básica: un mimo ideal

Estas pistas deberían permitirte transformar fácilmente tus momentos de mimo en sesiones terapéuticas, para el bien de tu amigo. En este esquema se describe una sesión básica, rápida y general: puedes emplearla en tus mimos cotidianos. Es análoga, en todos los sentidos, a la que ya has aprendido a practicar en ti mismo o en otra persona.

Observa que aquí la línea del cabello se sustituye por una línea imaginaria que atraviesa la parte alta de la frente, en la base de las orejas. Aplica la lógica para adaptar estos consejos a la morfología especial de tu animal.

Los puntos básicos

Extraídos del diagrama 1, estos puntos reflejos se extienden en zonas, más fáciles de masajear. Enseguida reconocerás los puntos básicos que ya sabes utilizar en ti mismo o en otra persona. Adaptarlo a tu amigo de cuatro patas no altera la técnica, y las ubicaciones son las mismas. Básate en los ojos y los arcos ciliares, busca los pómulos y la zona maxilar: todo se encuentra en el mismo lugar que en tu rostro.

Figura 32
Una sesión típica de "mimo terapéutico"

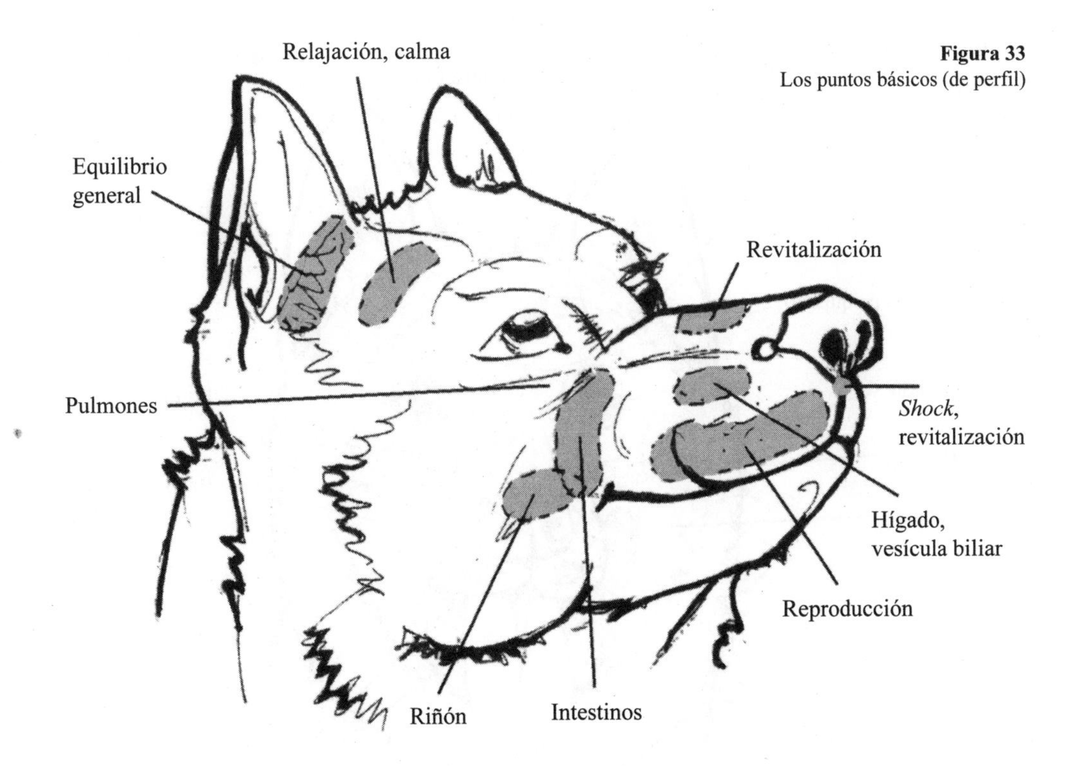

Figura 33
Los puntos básicos (de perfil)

No te dejes confundir por la diferente morfología: el hocico de un shi-tzu se masajea de manera idéntica que la de un pastor alemán; simplemente, uno de ellos es más corto. Del mismo modo, la forma y orientación de las orejas no cambia en nada sus correspondencias. El punto 0 se sitúa siempre en el centro de la línea que atraviesa la abertura de la oreja e importa poco que ésta se incline hacia delante o hacia atrás.

En cualquier caso, con las indicaciones de los esquemas 33 y 34 deberías estar capacitado para llevar a cabo tu primera sesión en animales.

Actúa con suavidad y cariño, y sobre todo permanece tranquilo. Piensa siempre que tu animal puede manifestar tus sentimientos secretos con toda claridad: nuestros perros, gatos y caballos son excelentes transmisores de nuestros estados anímicos y nuestras emociones ocultas. Una excelente retroalimentación... Por lo tanto, ¿por qué no mostrarles la sesión que les vas a dar practicándola en ti mismo? Eso los tranquilizará y al mismo tiempo te relajará: ¡doble beneficio!

Con un poco de práctica sabrás adaptar los consejos terapéuticos del segundo tomo. Un romadizo de gato se cura con los mismos puntos

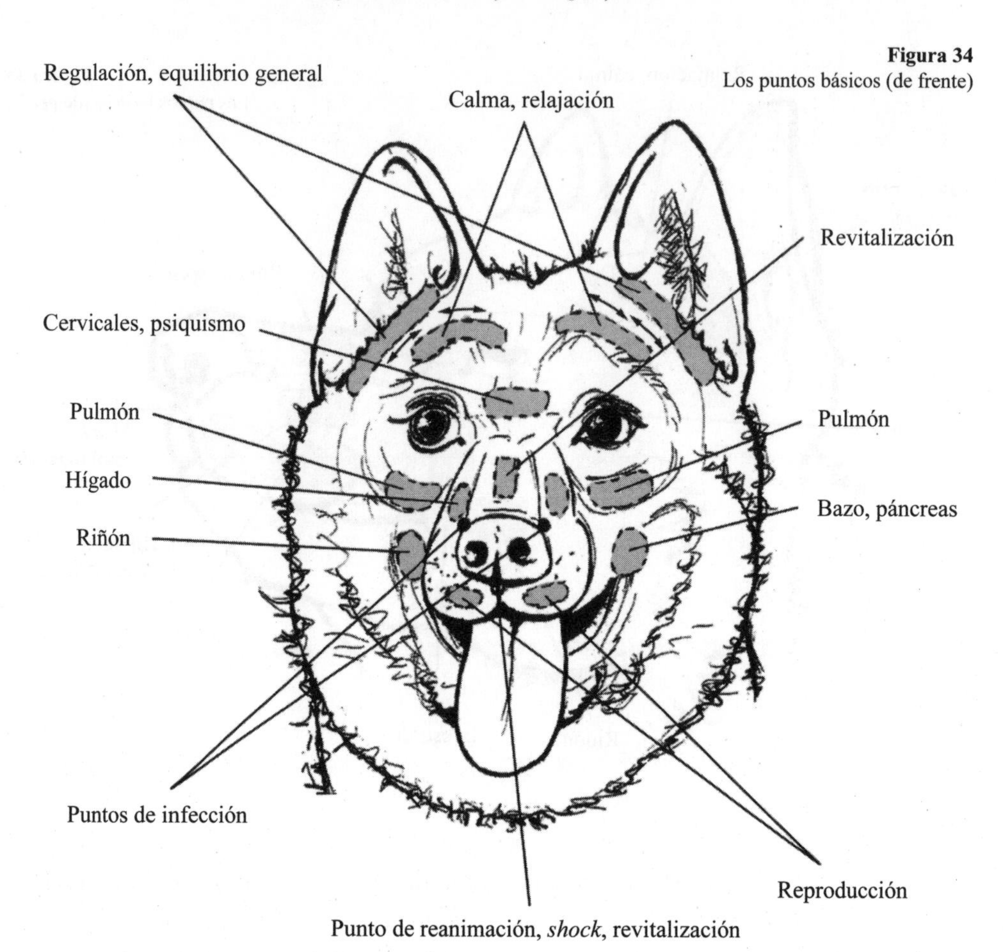

Figura 34
Los puntos básicos (de frente)

que los que nosotros utilizamos en la gripe, y los problemas de la piel reaccionan a los puntos indicados en los humanos.

Recuerda que esta técnica puede emplearse como complemento a otras terapias, a las que servirá de apoyo. Por lo tanto, no dudes en recurrir a ella con regularidad. Y si acabas de adoptar un gatito o un cachorro, aprovecha para acostumbrarlo a tus sesiones desde pequeño: ¡más tarde te lo agradecerá!

Cuando aprendas a dominar estas técnicas básicas, tendrás tiempo, si así lo deseas, de ir más lejos. Mientras tanto habrás evitado muchos trastornos a tu animal doméstico y le habrás ayudado a superar otros.

Notas personales

Notas personales

Notas personales

Notas personales

Notas personales

Notas personales

Notas personales

Notas personales

Índice

ÍNDICE DE ILUSTRACIONES